豊富な作例で
すぐに使いこなせる

和文フリーフォント290

学校やお店など身近なところでも使える

無料の和文フォントでいつものデザインをパワーアップ!!

学校で配るプリント、スーパーの特価品に付けるPOP、オリジナルCD用のレーベル、
ちょっと気合を入れたオリジナルデザイン年賀状などなど。
いまや素人でもパソコンで簡単にデザインができる時代。
そんな人たちがほしかった日本語が使える「和文フリーフォント」を、
本誌ではなんと290以上収録!!
スタイリッシュなデザインフォントからマイナー漢字まで
収録したビジネスフォントまで多数取り揃えているので、
構想しているデザインに合ったナイスなフォントもきっと見つかるはずだ。

動画の字幕も!

VRやってみた

793 29

10万回視聴 2020/02/31

次の動画

動画配信はじめてみた

フォントチャンネル

10万回視聴 2020/02/31

爆買いしてみた

フォントチャンネル

10万回視聴 2020/02/31

年賀状も!

あけまして
おめでとう
ございます

未

今年もよろしく
お願いします!

店頭POPも!

名刺も!

本書の使い方

本書では299個のフリーフォントを紹介しており、それぞれのフォントに関する情報を記載している。ここではその見方について解説しよう。

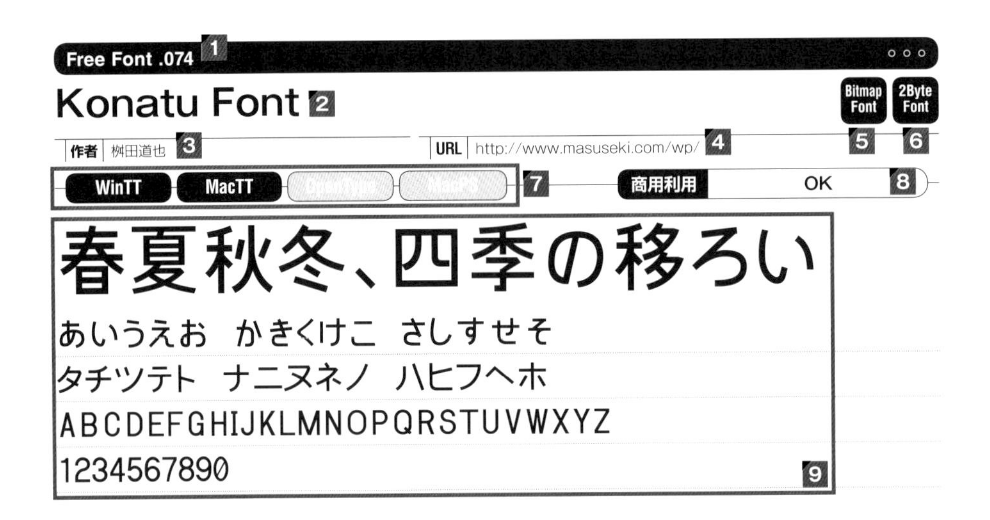

1 収録ナンバー

本書に収録したフリーフォントの通し番号。付録CD-ROMに収録しているフォルダの番号とも対応しているので、インストール時にフォント探す際の目安にも使ってほしい。

2 フォント名

フリーフォントの名称。こちらも付録CD-ROMに収録しているフォルダ名と対応している。なお、一部フォントでは商用利用する際にフォント名の明記が必要な物もある。

3 作者名

フリーフォントを作成した作者の名前。要事前連絡のフォントを使う際には、こちらの作者に連絡を取ってもらいたい。商用利用する際に作者名の明記が必要なフォントの場合は、名前をよく確認すること。

4 URL

フリーフォントを作成した作者のWebサイトURL。フリーフォントの詳細を調べる場合や商用利用に関する問い合わせなどはこちらのサイトにアクセスしよう。なお、フリーフォントを利用した際、掲示板やメールなどでお礼をすると喜んでもらえるだろう。

5 ビットマップフォント

フリーフォントがビットマップフォントだった場合は、このアイコンがついている。ビットマップフォントについては153ページを参照してもらいたい。

6 1byte/2byte

1byteフォントか2byteフォントかを表記。1byteフォントと2byteフォントの違いについては154ページを参照してもらいたい。

7 フォントタイプ

フリーフォントがどのフォントタイプなのか、またどのフォントタイプを収録しているかを表示している。アイコンが明るくなっているタイプが収録しているフォントだ（グレーになっているタイプは収録されていない）。「WinTT」 はWindows用TrueType、「MacTT」はMac用TrueType、「OpenType」はWindows / Mac両対応のOpen Type、「MacPS」はMac用PostScriptになっている。それぞれのフォントの特徴については151ページを参照してもらいたい。

8 商用利用

フリーフォントの商用利用が可能かどうかを記載。「OK」であれば商用利用可能だが、「NG」の場合は個人利用のみ許可されている。「要事前連絡」は、商用利用する場合に作者に確認が必要なフォントなので、作者のサイトで条件などを確認しよう。「要カンパ」はカンパウエアなので、カンパの方法などをReadMeや作者サイトで確認してほしい。

9 フォントのルックス

フリーフォントの書体がどのような形なのかを実際の文字で表示。ここを見て気に入った書体のフォントを探してほしい。

CONTENTS

Technique

6つの"コツ"で素人デザインから脱却できる!!

プロが教える デザイン㊙テクニック

フォントの用意はできたけれどデザインには自信が持てない……
そんなアナタのためにプロのデザイナーが使っているテクニックを紹介!
このテクニックを駆使すれば、プロ並みの超イカしたデザインもできちゃうかも!?

Technique 01

フォントの使い過ぎに注意

デザインをあまりしたことがない人が凝ったデザインを作ろうとしてやりがちなのが、「やたらフォントをたくさん使う」こと。かっこいいフォントをたくさん使うと「デザインした気分」になってしまうものだが、統一感がなく読みにくいデザインになることが多い。デザインフォントはスタイリッシュな物やかわいらしい物までいろいろあるが、それぞれのフォントが持つイメージを上手に見せることが大切だ。フォントをたくさん使ってしまうとイメージの方向性が定まらなくなるので、使用するフォントは2～3種類にしておくのがセオリー。フォントの選び方がよくわからないうちは、タイトルや見出しなどではゴシック系のフォント、本文では明朝系のフォントをそれぞれ1種類ずつ使うようにしておけば、それなりにまとまるはずだ。

フォントを使いすぎた例

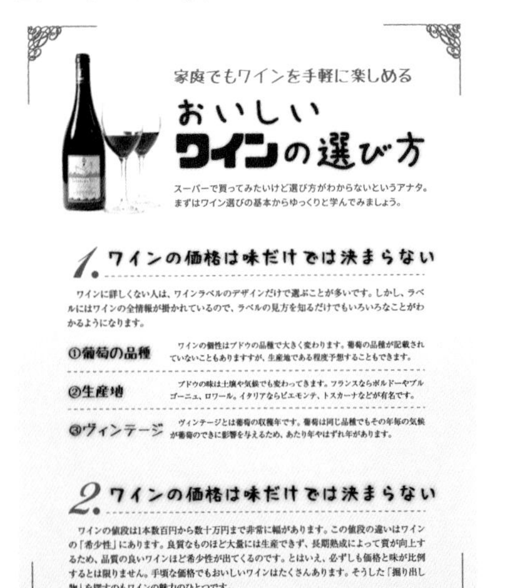

フォントを使いすぎるとデザインコンセプトがぼやけてしまい、素人っぽいデザインになってしまう。

適正にフォントを使った例

使用するフォントが2～3個しかなくても、文字の強弱などでメリハリは十分に出せる。

文字のウエイトで変化をつける

フォントの種類を使わずに文字に変化をつけたい場合は、フォントのウエイト（太さ）を変えることでメリハリを出すことができる。フリーフォントにもウエイトの違うフォントが用意されている場合があるので、インストール時に確認しておこう。一般的に「レギュラー（R）」か「ミディアム（M）」とフォント名についているものが標準の太さになっている。

あ	あ	あ	あ
ライト（Light）	レギュラー（Regular）	ミディアム（Medium）	ボールド（Bold）

ボールド（太字）機能はNG!

WordやPowerpointなどで文字を太くできる「B（ボールド）」ボタンは、文字がつぶれてしまうのでデザインでは使わないようにしたい。

Technique 02 文字サイズの優先順位を意識する

文字を基本としたレイアウトデザインをする場合、情報の「読みやすさ」や「伝えやすさ」を考えることが大切だ。文章を読みやすくするためには、その文章で何を説明したいのかをはっきりと読み手に伝えるようにしなければならない。情報を伝えやすくするのに「文字のサイズを大きくする」というのは、非常に簡単かつ有用なテクニックのひとつだ。しかし、全体のバランスを考えずに文字サイズを大きくしたり小さくしたりすると、逆に読みづらい文章になってしまう。たとえば、下のような記事を作成する場合、タイトルはもっとも大きく見せる必要がある。これは、この記事が何について書いてあるかを明確に相手に伝えるためだ。タイトルには、この記事に興味がある人を呼び込むための「導線」としての役割があるため、パっと見てすぐわかるサイズにしておきたい。

逆に、写真の説明文（キャプション）などは、写真自体が本文の補足的な物であるため、本文よりは小さめのサイズにすると「これは本文ではないんだな」ということがよりハッキリとわかる。このように文章のまとまりや優先順位を意識することは、より見てもらいやすいデザインをするのに重要だ。

本文
本文は、目立たないが読みやすいフォントを使いたい。明朝系フォントは読みやすいので本文で使われることが多い。

小見出し
小見出しは、以下に続く文章のタイトルとしての意味がある。そのため、本文よりも大きくする必要がある。

タイトル
タイトルは文章全体を一言で表しているものなので、この記事のなかではもっとも文字サイズを大きくする必要がある。

群馬の歴史を探る

東国の拠点だった群馬

群馬の遺跡は今から約2～3万年前、旧石器時代の「岩宿遺跡」より始まります。古墳時代（3世紀後半～7世紀にかけて）に関東は東国と呼ばれ、群馬は大事な拠点でした。大和政権のある近畿と未開拓の東北を結ぶ陸路の通過点であり、当時貴重な軍事力だった「馬匹（ばひつ）生産」を積極的に行なっていたからです。そのため4～6世紀にかけて豪族らの古墳が群馬にたくさん作られました。特に西部エリアに多いのは、石の生産が盛んだったことが要因です。多くの出土品や埋葬品から、当時の「東国文化」を知ることができます。

群馬は古代遺跡がいっぱい

群馬は県内に1万5千ほどの古墳があったとされています。現在、県内には「保渡田古墳群」「白石古墳群」「八幡古墳群」の三大古墳群があり、朝鮮渡来系の遺物が多く発見されています。保渡田古墳群には3つの前方後円墳があり、埴輪などの副葬品も多く身分の高い豪族を葬っていた状態がよく分かります。白石古墳群は大小合わせて三百以上の古墳があったとされ、なかでも伊勢塚古墳の石室は全国でもここだけといわれる珍しい「模様積み」と呼ばれる積み方で、胴張り型のアーチ構造を見事に支えています。八幡古墳群の観音塚古墳は古墳時代最末期の前方後円墳といわれ、その石の大きさに驚かされます。

ほかにも、今から約千五百年前の榛名山の噴火で犠牲となった男性が、甲（よろい）を身に着けた状態で発見された金井東裏遺跡などがあります。古墳作りや出土品に当時最新の文化や技術が積極的に取り入れられ、それを読み解くのが最高のロマン。残された古代人のメッセージを肌で感じてみませんか。

●保渡田古墳群

八幡塚古墳、二子山古墳、薬師塚古墳の3つの前方後円墳が集積する古墳群。いずれも墳丘長約100メートルの前方後円墳。

写真見出し
写真は前の記事の補助的な物なので、写真の見出しは記事の見出しよりやや小さくする。ただし、本文よりは大きくして多少目立たせたい。

キャプション
キャプションは本文より優先順位が低い文章なので、本文より小さいサイズにする。

Technique

03 余白を効果的に使う

デザイン初心者がデザインをする場合、個々のパーツのことばかり考えて余白のことまで意識がまわらないケースが多い。しかし、余白というのはデザインにおいては非常に重要。余白のあるなしで見やすさや雰囲気までガラリと変わってしまうことが多いからだ。余白に関して伝えたいことはいろいろあるが、ここでは基本的な余白の使い方だけ紹介したい。ここで紹介した余白の使い方を意識するだけでも、デザインの見栄えはグッと変わってくるはずだ。

余白を使って見やすさを上げる

長い文章をデザインする場合、ただ文章を流し込んだだけでは非常に読みづらく、読んでみようという気を起こさせない。読ませる文章デザインをしたい場合は、ある程度の余白を入れて、文章に（見た目の）余裕をもたせるようにしたい。8ページの「おいしいワインの選び方」も、余白を取り入れたデザインにしているが、もしこのデザインで文章間の余白がなかったり、紙の中ギリギリまで文字を配置するようなデザインにしてしまうと読み手に窮屈な印象を与えてしまうため。読んでもらうところまでたどり着きにくくなるのだ。

しっかりと読めばおもしろい文章でも、初見で目を引けるかどうかは文章デザインでは重要なファクターとなる。上手なデザインは、この余白でキャッチーさを表現できるのだ。

適度に余白が入ったデザイン

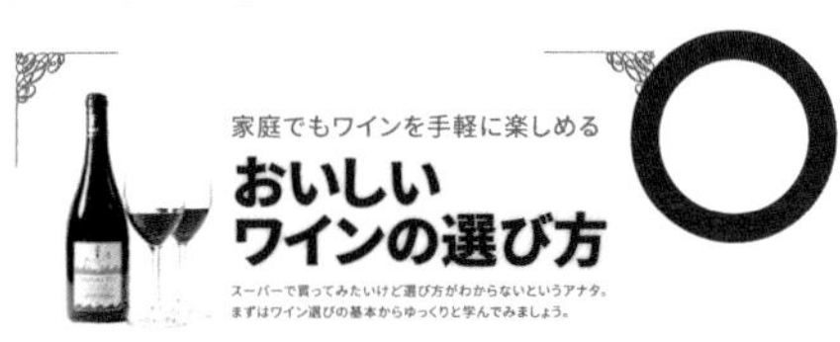

スーパーで買ってみたいけど選び方がわからないというアナタ。まずはワイン選びの基本からゆっくりと学んでみましょう。

1. ワインラベルを見分けるポイント

ワインに詳しくない人は、ワインラベルのデザインだけで選ぶことが多いです。しかし、ラベルにはワインの全情報が掛かれているので、ラベルの見方を知るだけでもいろいろなことがわかるようになります。

❶ 葡萄の品種　ワインの個性はブドウの品種で大きく変わります。葡萄の品種が記載されていないこともありますすが、生産地である程度予想することもできます。

❷ 生産地　ブドウの味は土壌や気候でも変わってきます。フランスならボルドーやブルゴーニュ、ロワール。イタリアならピエモンテ、トスカーナなどが有名です。

❸ ヴィンテージ　ヴィンテージとは葡萄の収穫年です。葡萄は同じ品種でもその年毎の気候が葡萄のできに影響を与えるため、あたり年やはずれ年があります。

2. ワインの価格は味だけでは決まらない

ワインの値段は1本数百円から数十万円まで非常に幅があります。この値段の違いはワインの「希少性」にあります。良質なものほど大量には生産できず、長期熟成によって質が向上するため、品質の良いワインほど希少性が出てくるのです。とはいえ、必ずしも価格と味が比例するとは限りません。手頃な価格でもおいしいワインはたくさんあります。そうした「掘り出し物」を探すのもワインの魅力のひとつです。

文章が内容ごとに区切られているため、気になるところだけを読みやすい。一ヶ所でも興味を引ければ、そのまま全体を読んでもらえるケースは多い。

文章と文章の間に余白がない

文章が全部つながっているよう見えると、窮屈なイメージとなる。また、文量が多いイメージも与えるので、普段文章をあまり読まない人には悪印象。

文章の配置がスペースギリギリ

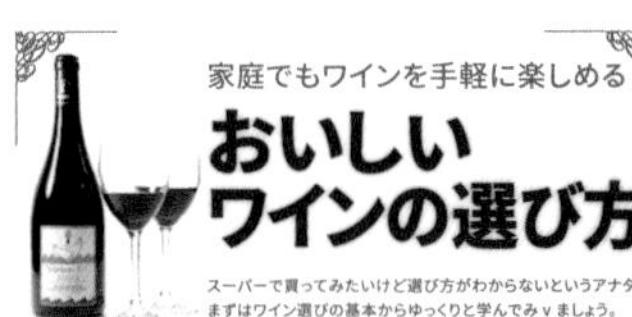

スーパーで買ってみたいけど選び方がわからないというアナタ。まずはワイン選びの基本からゆっくりと学んでみｖましょう。

1. ワインラベルを見分けるポイント

ワインに詳しくない人は、ワインラベルのデザインだけで選ぶことが多いです。しかし、ラベルにはワインの全情報が掛かれているので、ラベルの見方を知るだけでもいろいろなことがわかるようになります。

❶ 葡萄の品種　ワインの個性はブドウの品種で大きく変わります。葡萄の品種が記載されていないこともありますすが、生産地である程度予想することもできます。

❷ 生産地　ブドウの味は土壌や気候でも変わってきます。フランスならボルドーやブルゴーニュ、ロワール。イタリアならピエモンテ、トスカーナなどが有名です。

❸ ヴィンテージ　ヴィンテージとは葡萄の収穫年です。葡萄は同じ品種でもその年毎の気候が葡萄のできに影響を与えるため、あたり年やはずれ年があります。

2. ワインの価格は味だけでは決まらない

ワインの値段は1本数百円から数十万円まで非常に幅があります。この値段の違いはワインの「希少性」にあります。良質なものほど大量には生産できず、長期熟成によって質が向上するため、品質の良いワインほど希少性が出てくるのです。とはいえ、必ずしも価格と味が比例するとは限りません。手頃な価格でもおいしいワインはたくさんあります。そうした「掘り出し物」を探すのもワインの魅力のひとつです。

用紙いっぱいに文章が入っていると、こちらも余裕がなく窮屈なイメージになる。素人感も丸出しになってしまうため、それだけでスルーされやすくなる。

余白を使って高級感を演出

初心者がデザインをする場合、余白はなるべく残さないようにパーツを配置する傾向がある。しかし、デザインでは余白があること自体は決して悪いことではない。たとえば、余白を多めにデザインすることで、高級感やオシャレな印象を与えることができる。逆に、余白をあまり作らないようにデザインすると、チープで庶民的な印象になる。

ひとつお断りしておくが、チープで庶民的な印象は、決して悪いデザインというわけではない。チープな印象は逆に考えれば低価格なイメージなので、チラシなどではお得感がある印象になる。もしスーパーのポップや特売のチラシなどを作る場合は、他の特売チラシを参考にして余白をできるだけ見せないデザインにしてみるとよい。

なお、余白を大きく残すデザインは高級感が出せると書いたが、実はけっこうセンスに寄るところが大きい。センスのない人が余白だらけのデザインをすると、ただの手抜きに見えてしまう危険性が高い。余白を活かしたデザインはプロでもなかなか難しいので、あまり冒険し過ぎないように。

余白を使って高級感を出した例

余白を残したデザインをすることで、製品の高級感や上品な感じを表現できる。ブランド品や高級スィーツなどの広告を見ると、余白をうまく使ったデザインになっている物が多い。

余白をなるべく残さないようにした例

余白がなるべくできないようにパーツを配置すると、良くいえば庶民的、悪くいえばチープなイメージになる。ただし転じてお得感のある印象にもできるので、うまく使えば効果は大きい。

Technique 04 内容が近い要素は固めて配置

情報を相手によりわかりやすく伝えるために重要なことのひとつとして、「近い内容の情報はグループ化して配置する」を意識しておきたい。たとえば居酒屋などのメニューなどを見ると、「ビール」「サワー」「日本酒」など、お酒の種類ごとにまとめて書いてある。こうなっていると、特定のグループから、どの飲み物を選ぶか探しやすくなるからだ。メニューに限らず、見る側が一緒に知っておきたい情報は1ヶ所に固めて配置してあげるのが、良いデザインということになるわけだ。

このとき注意したいのが、グループとグループの間は明確に余白などで分けてあげること。せっかくグループ化しても、境目が明確でないとグループ化の意味が薄れてしまう。たとえば、居酒屋で飲み物用のメニューを作ったときに、下のようなグループの境目がわかりづらいと、「オレンジ」がオレンジジュースなのかオレンジサワーなのか一瞬混乱してしまう可能性がある。そうならないように、しっかりとまとめて配置することが大切だ。

要素を固めて配置しきれていない例

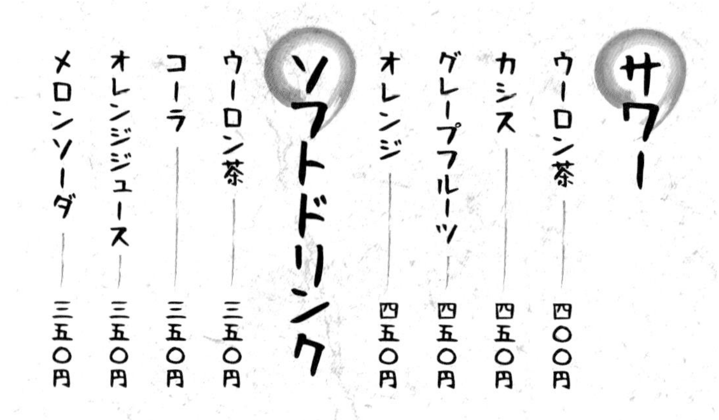

オレンジがサワーなのかソフトドリンクなのか、パッと見でわかりづらい。よく見なければどちらか分からないようでは、デザインとしては失敗だ。

要素を固めて配置できている例

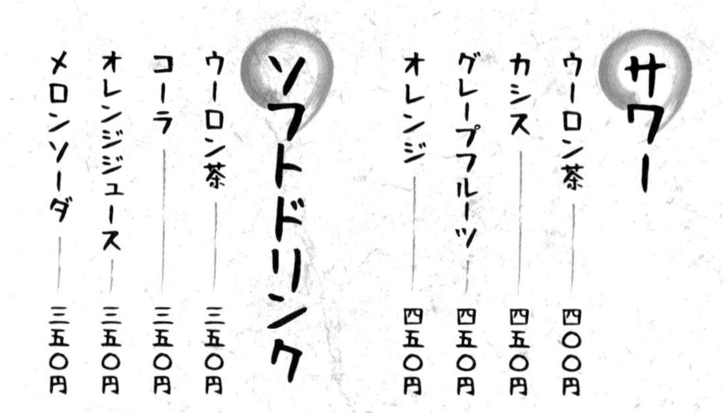

サワーとソフトドリンクのメニューがそれぞれしっかりと分けて配置してあるので、見た人が間違えてしまうようなことはない。

Technique 05 文章や画像のツラをそろえる

デザイン用語に「面（ツラ）を合わせる」という言葉がある。ツラとは、文章（テキストボックス）や画像の上下左右の4辺で、これを見えないガイドラインでしっかりとそろえるのが「ツラ合わせ」だ。フリーハンドでなんとなくツラ合わせをしてしまうと、ツラが微妙にデコボコになるため、どうしても素人感のある残念なデザインになってしまう。

写真と文章が両方入ったページをデザインする場合、ツラ合わせはより難しくなる。ページ内の4辺だけでなく、各段落のツラや並んだ写真同士のツラ、文章とカコミとのツラなど、いろいろなツラを合わせるのは慣れないと難しいが、よりかっこよいデザインをするために、がんばってもらいたい。なお、熟練者であればあえてツラを乱すこともある。だがそれもセンスと経験があってこそなので、素人はうかつに手を出さないように。

見えないガイドラインでそろえる

デザインを作ったら、文章や画像のツラを合わせるようにする。ツラは全体から細かいところまで神経質に合わせたい。

ソフトの機能を使ってツラを合わせる

ツラを合わせる方法はいろいろある。もっとも確実なのは座標をすべて手入力で指定する方法だが、さすがに手間がかかりすぎる（ピンポイントでは便利だが）。デザイン専用アプリにはツラを合わせるための便利な機能が多数用意されているので、それらをうまく使いたい。

ツラ合わせでもっとも便利なのが「グリッドとガイド」機能。グリッドとは、方眼のように一定間隔でページ内にガイド線を引く機能。ガイドはこのグリッドに文章や写真を近づけると自動でグリッドにフィットする機能だ。

もうひとつ便利なのが、選択した複数の文章や画像を指定したルールで配置しなおす「配置（整列）」機能。デザインソフトではどちらもポピュラーな機能だが、Microsoft Officeシリーズにも搭載されているので使ってみよう。

グリッドやガイドの機能を使う

Office 2007のシリーズでは「ホーム」タブの「配置」→「グリッドの設定」から、Office 2010のシリーズでは右クリックメニューの「グリッドとガイド」などから機能を使える。「位置合わせ」の項目にチェックを入れるとガイド機能がオンになる。

配置機能でツラを合わせる

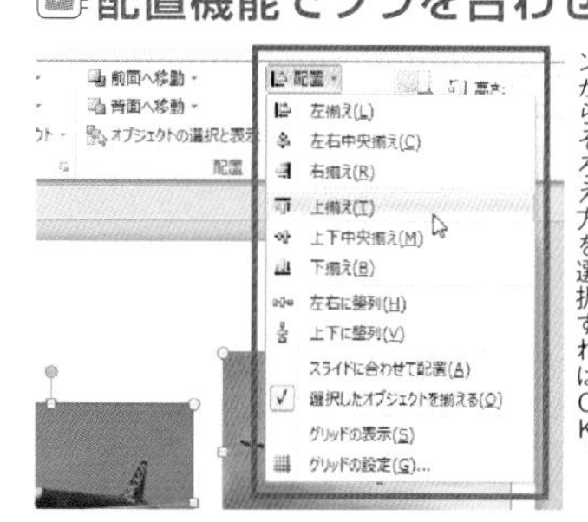

Officeシリーズはどれも「配置機能」で複数の写真や文字ボックスを整列できる。「書式」タブ「配置」ボタンからそろえ方を選択すればOK。

Technique
06 立体感でメリハリを付ける

デザインに慣れていない人がデザインに凝ると、のっぺりとした薄っぺらいデザインに仕上がってしまうことが多い。デザインに凝りたい場合は、立体感のあるデザインを意識することが大切だ。立体感を付けることでページにメリハリが出るうえに、見せたい部分を浮き出すように見せれば読み手への訴求力もアップする。

立体感を付けるテクニックはいくつかあるが、ポピュラーなところではシャドウやグラデーションなどがある。特にシャドウは文字を簡単に浮かせたり沈み込ませたりできるので、まずはシャドウから使ってみるといいだろう。以下に立体感をつけるテクニックをいくつか紹介するので参考にしてほしい。

シャドウを付ける

Sample

Sample

背景をぼかす（ガウスぼかし）

グラデーションをかける

Sample

Sample

エンボスをかける

Sample

Sample

グラデーションの色の差に注意

グラデーションは立体感を出すのに非常に有効だが、グラデーションの色の差があり過ぎるとリアリティがなくなり、見た目も非常に汚らしく見えてしまう。きれいなグラデーションにするコツは、色の差をなるべく小さくすること。以下にグラデーションの良い例と失敗例を並べてみたので、グラデーションをかけ過ぎると見栄えがどう変わるかを覚えてもらいたい。

ほどよいグラデーション

Sample

Sample

ナチュラルな明度の差にすると美しいグラデーションになり、合わせて立体感も表現できる。

過度なグラデーション

Sample

Sample

彩度（色の差）や明度の大きいグラデーションはキレイな見た目になりにくく、立体感も出てこない。

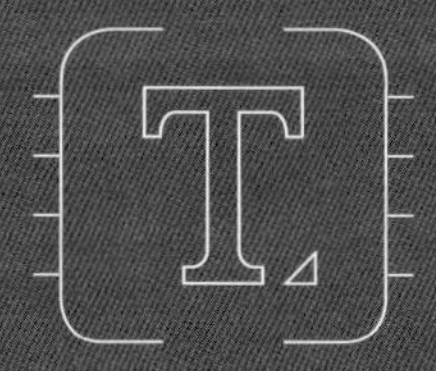

Font Catalog

フリーフォントも使い方次第でここまでできる!

[デザインサンプル付き]特選!! 和文フリーフォント

本誌で収録している和文フリーフォントの中から、おすすめのフォントを厳選して紹介。
フォントを利用したデザインサンプルと合わせて、
デザインに合わせたフォント選びの参考にしてもらいたい。

ニコカ

作者 Ku-Ku　URL http://nicofont.pupu.jp/

WinTT

商用利用 **OK**。改変の有無にかかわらず、自由に利用・複製することができます。

きせつのうつろい
キセツノウツロイ

あいうえお　かきくけこ　さしすせそ
たちつてと　なにぬねの　はひふへほ
まみむめも　やゆよ　わをん
がぎぐげご　ざじずぜぞ　だぢづでど
ばびぶべぼ　ぱぴぷぺぽ

アイウエオ　カキクケコ　サシスセソ
タチツテト　ナニヌネノ　ハヒフヘホ
マミムメモ　ヤユヨ　ワヲン
ガギグゲゴ　ザジズゼゾ　ダヂヅデド
バビブベボ　パピプペポ

ABCDEFGHIJKLMNOPQRSTUVWXYZ
1234567890

フォントの特徴

ニコニコ動画のロゴをイメージしたフォント。丸文字系でかわいい。ひらがな・カタカナ・英数字以外の文字グリフ（漢字など）は「M+フォント」で補っている。

マイクラを自由に改造できる「チートコマンド」がしっかり分かる!
統合版完全対応!
スイッチ
PS4
Xbox One
スマホ
Win10
マインクラフト
最強コマンド
使いこなしブック
オールカラー
ふりがな付き!
プログラム的思考力が
自然に身に付く!
マ○オのファイアボールを
マイクラで再現!
聖なる結界で
モンスターを一撃!
ウミガメに
乗って気分は浦島!?
超スゴい&役立つコマンドID
1300
以上掲載!
コマンドで
村人が戦闘可能に!?
TNTで怒涛の絨毯爆撃!!
マイクラの"神"になる?
チートコマンドを自在に操って
世界を好きなように造りかえよう!

にくまるフォント

作者 fontな

URL http://www.fontna.com/

WinTT　MacTT　OpenType

商用利用 **OK**。Apache License, Version 2.0で配布されているため、ライセンスを守ることで自由に再配布や修正、そして派生版の公開が可能です。

きせつのうつろい
キセツノウツロイ

あいうえお　かきくけこ　さしすせそ
たちつてと　なにぬねの　はひふへほ
まみむめも　やゆよ　わをん
がぎぐげご　ざじずぜぞ　だぢづでど
ばびぶべぼ　ぱぴぷぺぽ

アイウエオ　カキクケコ　サシスセソ
タチツテト　ナニヌネノ　ハヒフヘホ
マミムメモ　ヤユヨ　ワヲン
ガギグゲゴ　ザジズゼゾ　ダヂヅデド
バビブベボ　パピプペポ

ABCDEFGHIJKLMNOPQRSTUVWXYZ
1234567890

フォントの特徴

丸ゴシックをさらにふっくらと太らせたような柔らかさのあるフォント。JIS第一水準すべてと、JIS第二水準の一部の漢字が使える。

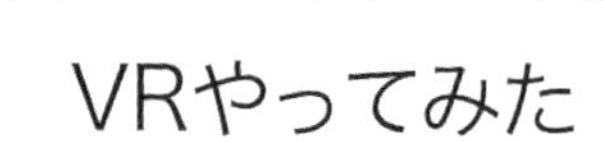

10万回視聴 2020/02/31

次の動画

動画配信はじめてみた

フォントチャンネル

10万回視聴 2020/02/31

爆買いしてみた

フォントチャンネル

10万回視聴 2020/02/31

アンニャントロマン

作者 稲塚春　URL http://inatsuka.com/

WinTT

商用利用 **OK**。再配布・改変なども可能だが、改変した場合にはフォント名の変更が必須。使用時のライセンス表記は不要だが、してくれると嬉しいとのこと。

きせつのうつろい
キセツノウツロイ

あいうえお　かきくけこ　さしすせそ
たちつてと　なにぬねの　はひふへほ
まみむめも　やゆよ　わをん
がぎぐげご　ざじずぜぞ　だぢづでど
ばびぶべぼ　ぱぴぷぺぽ

アイウエオ　カキクケコ　サシスセソ
タチツテト　ナニヌネノ　ハヒフヘホ
マミムメモ　ヤユヨ　ワヲン
ガギグゲゴ　ザジズゼゾ　ダヂヅデド
バビブベボ　パピプペポ

ABCDEFGHIJKLMNOPQRSTUVWXYZ
1234567890

フォントの特徴

ロゴでの利用を想定したフォント。冒険RPGや萌えアニメ・ゲームなど、いろいろなタイトルで使えそうな元気のあるデザインとなっている。ライセンスが緩いので使い勝手はよさそう。

新発売ゲームポスター | Sample.003

ラノベポップ

作者 fontな　URL http://www.fontna.com/

WinTT　MacTT　OpenType

商用利用 OK。改変の有無に関わらず、自由に利用、複製、再配布することができます。

春夏秋冬、四季の移ろい
東西南北より人々が集う

あいうえお　かきくけこ　さしすせそ
たちつてと　なにぬねの　はひふへほ
まみむめも　やゆよ　わをん
がぎぐげご　ざじずぜぞ　だぢづでど
ばびぶべぼ　ぱぴぷぺぽ

アイウエオ　カキクケコ　サシスセソ
タチツテト　ナニヌネノ　ハヒフヘホ
マミムメモ　ヤユヨ　ワヲン
ガギグゲゴ　ザジズゼゾ　ダヂヅデド
バビブベボ　パピプペポ

ABCDEFGHIJKLMNOPQRSTUVWXYZ
abcdefghijklmnopqrstuvwxyz
1234567890

フォントの特徴

マジックペンで勢いよく書いたようなデザインの、ライトノベルにぴったりのPOPなフォント。漢字もJIS第一水準すべてと第二水準の一部まで収録されている。

やはり俺の
フォントは
まちがっている
vol.
1
野上輝之
イラスト：楠あかね
ST文庫

はんなり明朝

2Byte Font

作者 中井良尚

URL http://typingart.net/

WinTT MacTT OpenType

商用利用 OK。ただし、フォントを再配布（商用・非商用を問わず）をする場合は「IPAフォントライセンスv1.0」の写しを添付する必要があります。

春夏秋冬、四季の移ろい
東西南北より人々が集う

あいうえお　かきくけこ　さしすせそ
たちつてと　なにぬねの　はひふへほ
まみむめも　やゆよ　わをん
がぎぐげご　ざじずぜぞ　だぢづでど
ばびぶべぼ　ぱぴぷぺぽ

アイウエオ　カキクケコ　サシスセソ
タチツテト　ナニヌネノ　ハヒフヘホ
マミムメモ　ヤユヨ　ワヲン
ガギグゲゴ　ザジズゼゾ　ダヂヅデド
バビブベボ　パピプペポ

ABCDEFGHIJKLMNOPQRSTUVWXYZ
abcdefghijklmnopqrstuvwxyz
1234567890

フォントの特徴

築地体をベースに、やさしくふんわりとしたひらがなとカタカナが使えるフォント。漢字と英数字、記号などはIPA明朝体で補っている。

マンションチラシ | Sample.005

白舟行書教漢

2Byte Font

作者 株式会社白舟書体 **URL** http://www.hakusyu.com/

WinTT MacTT

商用利用 **基本的にはOK**。ただし、商標や印章、デザインを主とする商品の作成には製品版の購入が必要。詳しくは制作会社にお問い合わせ下さい。

春夏秋冬、四季の移ろい
東西南北より人々が集う

あいうえお かきくけこ さしすせそ
たちつてと なにぬねの はひふへほ
まみむめも やゆよ わをん
がぎぐげご ざじずぜぞ だぢづでど
ばびぶべぼ ぱぴぷぺぽ

アイウエオ カキクケコ サシスセソ
タチツテト ナニヌネノ ハヒフヘホ
マミムメモ ヤユヨ ワヲン
ガギグゲゴ ザジズゼゾ ダヂヅデド
バビブベボ パピプペポ

フォントの特徴

株式会社白舟書体がリリースしている白舟書体シリーズ「白舟行書Pro」の体験版。体験版とはいえひらがな、カタカナ、記号が利用できるのに加え、教育漢字1,006文字も収録されている。商用利用も可能だ。

花火大会ポスター | **Sample.006**

Mgen+

作者 MM　URL http://mm.xvs.jp/

WinTT

商用利用 **OK**。Apache License, Version 2.0で配布されているため、ライセンスを守ることで自由に再配布や修正、そして派生版の公開が可能です。

春夏秋冬、四季の移ろい
東西南北より人々が集う

あいうえお　かきくけこ　さしすせそ
たちつてと　なにぬねの　はひふへほ
まみむめも　やゆよ　わをん
がぎぐげご　ざじずぜぞ　だぢづでど
ばびぶべぼ　ぱぴぷぺぽ

アイウエオ　カキクケコ　サシスセソ
タチツテト　ナニヌネノ　ハヒフヘホ
マミムメモ　ヤユヨ　ワヲン
ガギグゲゴ　ザジズゼゾ　ダヂヅデド
バビブベボ　パピプペポ

ABCDEFGHIJKLMNOPQRSTUVWXYZ
abcdefghijklmnopqrstuvwxyz
1234567890

フォントの特徴

フリーフォント「M+ OUTLINE FONTS」をベースに、これに含まれない漢字・記号のグリフを補うことで、さらに豊富な漢字や記号を使えるようにしている。JIS第一水準すべてと、JIS第二水準の約半数の漢字が使える。

Supermarket Font ☆ Supermarket Font ☆ Supermarket Font ☆ Supermarket Font
年に一度の
大特価市!!
本日
ポイント
10倍!!
国産黒毛和牛
1パック
528円
牛ブロック
100gあたり
138円
牛ステーキ肉
100gあたり
158円
メロン
1個
798円
じゃがいも
3個
198円
にんじん
3本
198円
ぶどう
1房
398円
トマト
1個
118円
たまねぎ
1個
98円
ピーマン
3個
158円
キャベツ
1個
178円
かぼちゃ
1個
298円
Supermarket Font ☆ Supermarket Font ☆ Supermarket Font ☆ Supermarket Font

きゅうり
5本
198円

白菜
1個
298円

りいてがき筆

2Byte Font

作者 あおいりい

URL http://aoirii.babyblue.jp/

WinTT

商用利用 **基本的にはOK**。ただし、再配布・販売・改変・公序良俗に反する行為・違法行為・アダルト・出会い系・宗教関係・その他迷惑行為等での使用は禁止。できればカンパを希望しています。

春夏秋冬、四季の移ろい
東西南北より人々が集う

あいうえお かきくけこ さしすせそ
たちつてと なにぬねの はひふへほ
まみむめも やゆよ わをん
がぎぐげご ざじずぜぞ だぢづでど
ばびぶべぼ ぱぴぷぺぽ

アイウエオ カキクケコ サシスセソ
タチツテト ナニヌネノ ハヒフヘホ
マミムメモ ヤユヨ ワヲン
ガギグゲゴ ザジズゼゾ ダヂヅデド
バビブベボ パピプペポ

ABCDEFGHIJKLMNOPQRSTUVWXYZ
abcdefghijklmnopqrstuvwxyz
1234567890

フォントの特徴

かわいい手書き風の筆文字フォント。漢字はJIS第一水準すべてと第二水準125字が収録されている。また、罫線の記号で入力が可能な絵文字も用意されている。

おしながき

焼き鳥

串焼き盛り合わせ 九五〇円
もも串焼き（タレ・塩） 一五〇円
皮串焼き 一五〇円
レバー串焼き 一五〇円
砂肝塩焼き 一五〇円
手羽先焼き 一五〇円
つくね焼き（タレ・塩） 一五〇円

とりあえず

ゆでたて枝豆 三五〇円
冷奴 三〇〇円
板わさ 四〇〇円
おしんこ 三〇〇円
たこわさび 四〇〇円

サラダ

豆腐サラダ 五三〇円
じゃこサラダ 五五〇円

揚げ物

揚げ茄子 三五〇円
さつま揚げ 四五〇円
鳥の唐揚げ 五〇〇円
なんこつ揚げ 五〇〇円

IPAmj明朝フォント

2Byte Font

作者 独立行政法人情報処理推進機構　URL http://www.ipa.go.jp/

WinTT

商用利用 OK。フォントの改変や再配布については、独立行政法人情報処理推進機構のWebサイトをご確認ください。

春夏秋冬、四季の移ろい
東西南北より人々が集う

あいうえお　かきくけこ　さしすせそ
たちつてと　なにぬねの　はひふへほ
まみむめも　やゆよ　わをん
がぎぐげご　ざじずぜぞ　だぢづでど
ばびぶべぼ　ぱぴぷぺぽ

アイウエオ　カキクケコ　サシスセソ
タチツテト　ナニヌネノ　ハヒフヘホ
マミムメモ　ヤユヨ　ワヲン
ガギグゲゴ　ザジズゼゾ　ダヂヅデド
バビブベボ　パピプペポ

ABCDEFGHIJKLMNOPQRSTUVWXYZ
abcdefghijklmnopqrstuvwxyz
1234567890

フォントの特徴

戸籍や住民基本台帳ネットワークシステムで必要とされる文字を、各種行政機関で統一して利用できるように開発されたフォント。人名漢字など約6万文字が収録されている。

預り金
5万円以上
200円印紙

（借主保管用の
契約書に対し貼付）

マンション賃貸借契約書

所 在 地				
名称・室番号	階 号室			
構 造	造 階建 棟	面 積	㎡	
賃 料	一ヶ月 金 円也	管理費等	一ヶ月 金 円也	
□敷 金 □保証金	金 円也	金	金 円也	
賃料の支払方法	□持参・□振込・□その他（ ）			
□敷金・□保証金 まさにお預かり致しました。但し、無利息の事。乙が敷金又は保証金を賃料に充当すること。 もしくは乙の債務支払い、又は質権設定に供することは禁ずる。□本証をもって預り証とする。□別紙預り証を発行する。				

上記に就き貸主を甲とし、借主を乙とし、下記条項を双方承諾の上、本契約を締結する。

第１条　本件マンションの賃貸借期間は、平成　年　月　日から平成　年　月　日までの　年間とする。

第２条　乙は、賃貸借期間内であっても、甲に対し３ヵ月の予告期間をもって本契約の解約を申入れることができる。ただし、３ヵ月分の賃料相当額を甲に支払うことによって直ちに解約することができる。

第３条　本件マンションの貸料は月額　円、管理費は月額　円とし、乙は、甲に対して、毎月　日までに、その翌月分をあわせて甲が指定する金融機関口座に振込んで支払う。

②前項の規定にかかわらず、賃料及び管理費が、租税公課の増減により、不動産の価格の上昇もしくは低下その他の経済事情の変動により、または近傍類似のマンションに比較して不相当となったときは、甲または乙は、将来に向かってその増減を請求することができる。

第４条　乙は、本件マンションを乙の居住用としてのみ使用するものとし、その他の目的に使用しない。

第５条　乙は、甲が別途定める管理・利用規則等を遵守しなければならない。

第６条　乙は本契約に関して生ずる乙の債務を担保するため、本契約の成立と同時に、甲に対し敷金として金　円を預託する。

②本契約の終了に伴い、乙が、マンションを原状に復して明渡した場合において、甲は本契約に基づいて生じた乙の債務で未払いのものがあるときは、乙の合意のもとに敷金から未払債務額を差し引いて返還する。この場合、返還すべき金員には利息を付さない。

③乙は、本件マンションを原状に復して甲に明け渡すまでの間、敷金返還請求権をもって甲に対する賃料その他の債務と相殺する事ができない。

チェックポイントフォント

作者 マルセ　URL http://marusexijaxs.web.fc2.com/

WinTT　OpenType

商用利用 **OK**。使用許可の連絡などは不要だが、可能であれば事後報告を希望しています（報告は任意、Twitterなどで OK）。

春夏秋冬、四季の移ろい
東西南北より人々が集う

あいうえお　かきくけこ　さしすせそ
たちつてと　なにぬねの　はひふへほ
まみむめも　やゆよ　わをん
がぎぐげご　ざじずぜぞ　だぢづでど
ばびぶべぼ　ぱぴぷぺぽ

アイウエオ　カキクケコ　サシスセソ
タチツテト　ナニヌネノ　ハヒフヘホ
マミムメモ　ヤユヨ　ワヲン
ガギグゲゴ　ザジズゼゾ　ダヂヅデド
バビブベボ　パピプペポ

ABCDEFGHIJKLMNOPQRSTUVWXYZ
abcdefghijklmnopqrstuvwxyz
1234567890

フォントの特徴

有名な某クイズ番組で使われていたフォントをモチーフにしたデザインフォント。漢字もJIS第一水準、第二水準を含む約6,900字が利用可能。

ALL
50%
OFF
表示価格より
全品半額

じゃぽねすく

作者 あくび印

URL http://pandachan.jp/

WinTT MacTT

商用利用 **作者へのカンパが必要。**何らかの形でお金が絡む場合は、必ず作者にメールで連絡するようにしてください。詳しくは作者のWebサイトを確認してください。

春夏秋冬、四季の移ろい
東西南　より人々が集う

あいうえお　かきくけこ　さしすせそ
たちつてと　なにぬねの　はひふへほ
まみむめも　やゆよ　わをん
がぎぐげご　ざじずぜぞ　だぢづでど
ばびぶべぼ　ぱぴぷぺぽ

アイウエオ　カキクケコ　サシスセソ
タチツテト　ナニヌネノ　ハヒフヘホ
マミムメモ　ヤユヨ　ワヲン
ガギグゲゴ　ザジズゼゾ　ダヂヅデド
バビブベボ　パピプペポ

ABCDEFGHIJKLMNOPQRSTUVWXYZ
abcdefghijklmnopqrstuvwxyz
1234567890

フォントの特徴

筆文字風でありながら、丸文字のようなかわいらしさのあるフォント。漢字の収録数は不明だが、教育漢字は一通り用意されていると思って大丈夫だ。

あけまして
おめでとう
ございます
酉
今年もよろしく
お願いします!

GL-アンチックPLUS

作者 Gutenberg Labo　URL http://gutenberg.sourceforge.jp/ja/

WinTT　OpenType

商用利用 **OK**。改変の有無に関わらず、自由にご利用、複製、再配布することができます。

春夏秋冬、四季の移ろい
東西南ぼくより人々が集う

あいうえお　かきくけこ　さしすせそ
たちつてと　なにぬねの　はひふへほ
まみむめも　やゆよ　わをん
がぎぐげご　ざじずぜぞ　だぢづでど
ばびぶべぼ　ぱぴぷぺぽ

アイウエオ　カキクケコ　サシスセソ
タチツテト　ナニヌネノ　ハヒフヘホ
マミムメモ　ヤユヨ　ワヲン
ガギグゲゴ　ザジズゼゾ　ダヂヅデド
バビブベボ　パピプペポ

ABCDEFGHIJKLMNOPQRSTUVWXYZ
abcdefghijklmnopqrstuvwxyz
1234567890

フォントの特徴

漫画のフキダシで使われるアンチック体のフォント。アンチック体はゴシック体の漢字に明朝体のひらがな・カタカナを組み合わせており、安定して読みやすい。漢字はJIS第一水準すべてを含め、4,000字以上を収録。

ブラックジャックによろしく　佐藤秀峰　[漫画 on Web] http://mangaonweb.com/

あんずもじ等幅

作者 京風子　URL http://www8.plala.or.jp/p_dolce/

WinTT

商用利用 OK。ただし、再配布・販売・フォントの改変は禁止。ホームページやブログで利用する場合は、作者サイトへのリンクを希望しています（リンクは任意）。

春夏秋冬、四季の移ろい
東西南北より人々が集う

あいうえお　かきくけこ　さしすせそ
たちつてと　なにぬねの　はひふへほ
まみむめも　やゆよ　わをん
がぎぐげご　ざじずぜぞ　だぢづでど
ばびぶべぼ　ぱぴぷぺぽ

アイウエオ　カキクケコ　サシスセソ
タチツテト　ナニヌネノ　ハヒフヘホ
マミムメモ　ヤユヨ　ワヲン
ガギグゲゴ　ザジズゼゾ　ダヂヅデド
バビブベボ　パピプペポ

ABCDEFGHIJKLMNOPQRSTUVWXYZ
abcdefghijklmnopqrstuvwxyz
1234567890 吉

フォントの特徴

かわいい手書き風のフォント。シフトJISに含まれている感じはすべて収録されている。また、罫線の記号を入力すると絵文字を表示できる。

Smile
ナイススマイル(^▽^)
Love
ベストパートナー♪
シーン…
読書中です…
乾杯!
ワイ♪ワイ♪
プンプン
シクシク…
喧嘩中!

たぬき油性マジック

作者 たぬき侍

URL http://tanukifont.com/

WinTT

商用利用 **OK**。ただし、フォントファイルを無断で販売する行為は禁止。詳しくはReadMeをご確認ください。

春夏秋冬、四季の移ろい
東西南北より人々が集う

あいうえお かきくけこ さしすせそ
たちつてと なにぬねの はひふへほ
まみむめも やゆよ わをん
がぎぐげご ざじずぜぞ だぢづでど
ばびぶべぼ ぱぴぷぺぽ

アイウエオ カキクケコ サシスセソ
タチツテト ナニヌネノ ハヒフヘホ
マミムメモ ヤユヨ ワヲン
ガギグゲゴ ザジズゼゾ ダヂヅデド
バビブベボ パピプペポ

ABCDEFGHIJKLMNOPQRSTUVWXYZ
abcdefghijklmnopqrstuvwxyz
1234567890

フォントの特徴

極太油性マジックで手書きしたようなデザインのポップフォント。漢字はJIS第一・第二水準漢字からIBM拡張漢字まで収録されている。

これ一冊でわかる!
動画サイト
動画サイトの楽しみ方は
これ1冊で完全網羅!!
この1冊で基本を身につけて
動画サイトを使いこなしましょう
PERFECT GUIDE
とっておきのテクニック2012
Android最上級テクニック
超厳選された440のアプリで新しいiPadを楽しみ尽くそう

Source Han Sans

作者 google/adobe

URL https://github.com/adobe-fonts/source-han-sans

OpenType

商用利用 **OK**。Apache License, Version 2.0で配布されているため、ライセンスを守ることで自由に再配布や修正、そして派生版の公開が可能です。

春夏秋冬、四季の移ろい
東西南北より人々が集う

あいうえお かきくけこ さしすせそ
たちつてと なにぬねの はひふへほ
まみむめも やゆよ わをん
がぎぐげご ざじずぜぞ だぢづでど
ばびぶべぼ ぱぴぷぺぽ

アイウエオ カキクケコ サシスセソ
タチツテト ナニヌネノ ハヒフヘホ
マミムメモ ヤユヨ ワヲン
ガギグゲゴ ザジズゼゾ ダヂヅデド
バビブベボ パピプペポ

ABCDEFGHIJKLMNOPQRSTUVWXYZ
abcdefghijklmnopqrstuvwxyz
1234567890

フォントの特徴

AdobeがGoogleと共同開発したオープンソースのフォントで、印刷やPCのモニターなどさまざまな条件で可読性が高くなるようにデザインされている。漢字は1万7千字程度収録されている。

名刺 | **Sample.015**

三丁目フォント

2Byte Font

作者 工藤謙一

URL http://www.geocities.jp/bokurano_yume/

WinTT MacTT OpenType MacPS

商用利用 **事前に作者に連絡してください。**詳しくはReadMe及び作者Webサイトをご確認ください。

春夏秋冬、四季の移ろい
東西南北より人々が集う

あいうえお かきくけこ さしすせそ
たちつてと なにぬねの はひふへほ
まみむめも やゆよ わをん
がぎぐげご ざじずぜぞ だぢづでど
ばびぶべぼ ぱぴぷぺぽ

アイウエオ カキクケコ サシスセソ
タチツテト ナニヌネノ ハヒフヘホ
マミムメモ ヤユヨ ワヲン
ガギグゲゴ ザジズゼゾ ダヂヅデド
バビブベボ パピプペポ

ABCDEFGHIJKLMNOPQRSTUVWXYZ
abcdefghijklmnopqrstuvwxyz
1234567890

フォントの特徴

ペンによる手書き風フォントで、味わいのある文字が使える。漢字はJIS第一・第二水準漢字からIBM拡張漢字まで収録されている。

毎日暑い
が続いておりますがいかがお過ごしで
すか。日頃は大変お世話になり
く御礼申し上げます。さて
ちらの特産のメロン
だきました。
手元に届
2〜3日
だそうです。
さい。私たちも
しい生活に慣れ、
ごしています。
暑さもこれからが
番ですがどうか体調など
されませんように。
これからも宜しくご指導を賜わりますよう
い申し上げます。
敬具
平成26年8月8日
手紙太郎

インストールしてすぐに使える

和文フリーフォントカタログ

手書き風からゴシック・明朝系まで、使える和文フリーフォントを全299掲載。
もちろん漢字が使えるフォントも多数用意しているので、
年賀状からプロユースのデザインまで用途にあわせたフォントを見つけてほしい。
なお、フォントによっては表示できない漢字もあるので気を付けておこう。

Free Font .001

MTたれ

2Byte Font

作者 ★まくた★　URL http://ifs.nog.cc/maktak.hp.infoseek.co.jp/

WinTT　商用利用 OK

春夏秋冬、四季の移ろい
あいうえお　かきくけこ　さしすせそ
タチツテト　ナニヌネノ　ハヒフヘホ
ABCDEFGHIJKLMNOPQRSTUVWXYZ
1234567890

Free Font .002

MTたれっぴ

2Byte Font

作者 ★まくた★　URL http://ifs.nog.cc/maktak.hp.infoseek.co.jp/

WinTT　商用利用 OK

春夏秋冬、四季の移ろい
あいうえお　かきくけこ　さしすせそ
タチツテト　ナニヌネノ　ハヒフヘホ
ABCDEFGHIJKLMNOPQRSTUVWXYZ
1234567890

Free Font .003

イバラ字

2Byte Font

作者 fub工房

URL https://fub-koubou.work/

WinTT MacTT OpenType MacPS

商用利用 OK

春夏秋冬、四季の移ろい

あいうえお かきくけこ さしすせそ

タチツテト ナニヌネノ ハヒフヘホ

ABCDEFGHIJKLMNOPQRSTUVWXYZ

1234567890

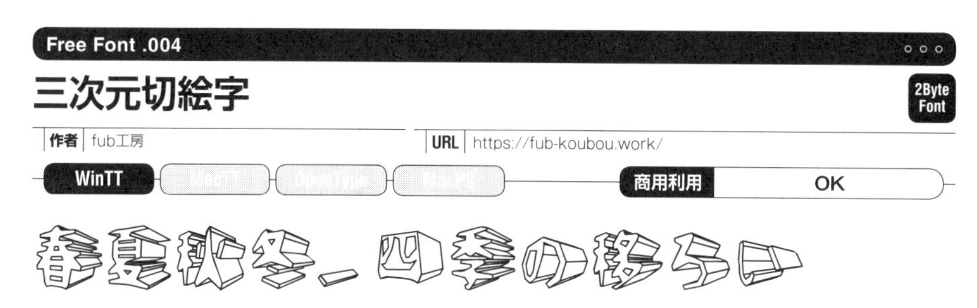

Free Font .004

三次元切絵字

2Byte Font

作者 fub工房

URL https://fub-koubou.work/

WinTT MacTT OpenType MacPS

商用利用 OK

春夏秋冬、四季の移ろい

あいうえお かきくけこ さしすせそ

タチツテト ナニヌネノ ハヒフヘホ

ABCDEFGHIJKLMNOPQRSTUVWXYZ

1234567890

Free Font .005

水面字

2Byte Font

作者 fub工房

URL https://fub-koubou.work/

WinTT MacTT OpenType MacPS

商用利用 OK

春夏秋冬、四季の移ろい

あいうえお かきくけこ さしすせそ

タチツテト ナニヌネノ ハヒフヘホ

ABCDEFGHIJKLMNOPQRSTUVWXYZ

1234567890

Free Font .006

モフ字

2Byte Font

作者 fub工房 / URL https://fub-koubou.work/

WinTT / MacTT / OpenType / MacPS / 商用利用 OK

春夏秋冬、四季の移ろい

あいうえお　かきくけこ　さしすせそ

タチツテト　ナニヌネノ　ハヒフヘホ

ABCDEFGHIJKLMNOPQRSTUVWXYZ

1234567890

Free Font .007

切絵字

2Byte Font

作者 fub工房 / URL https://fub-koubou.work/

WinTT / MacTT / OpenType / MacPS / 商用利用 OK

春夏秋冬、四季の移ろい

あいうえお　かきくけこ　さしすせそ

タチツテト　ナニヌネノ　ハヒフヘホ

ABCDEFGHIJKLMNOPQRSTUVWXYZ

1234567890

Free Font .008

ゆたぽん

2Byte Font

作者 jirou / URL http://net2.system.to/pc/

WinTT / MacTT / OpenType / MacPS / 商用利用 要事前連絡

春夏秋冬、四季の移ろい

あいうえお　かきくけこ　さしすせそ

タチツテト　ナニヌネノ　ハヒフヘホ

ABCDEFGHIJKLMNOPQRSTUVWXYZ

1234567890

Free Font .009

舞亭ペン字楷書上級-教漢

2Byte Font

作者 Mighty(Hiroki☆Inoue)　URL http://www.geocities.jp/hiroki_mighty/

WinTT　MacTT　OpenType　MacPS　商用利用 要事前連絡

春夏秋冬、四季の移ろい

あいうえお　かきくけこ　さしすせそ

タチツテト　ナニヌネノ　ハヒフヘホ

ABCDEFGHIJKLMNOPQRSTUVWXYZ

1234567890

Free Font .010

舞亭ペン字入門楷行体-教漢

2Byte Font

作者 Mighty(Hiroki☆Inoue)　URL http://www.geocities.jp/hiroki_mighty/

WinTT　MacTT　OpenType　MacPS　商用利用 要事前連絡

春夏秋冬、四季の移ろい

あいうえお　かきくけこ　さしすせそ

タチツテト　ナニヌネノ　ハヒフヘホ

ABCDEFGHIJKLMNOPQRSTUVWXYZ

1234567890

Free Font .011

舞亭ペン字草書-教漢

作者 Mighty(Hiroki☆Inoue)　URL http://www.geocities.jp/hiroki_mighty/

WinTT　MacTT　OpenType　MacPS　商用利用 要事前連絡

春夏秋冬、四季の移ろい

あいうえお　かきくけこ　さしすせそ

タチツテト　ナニヌネノ　ハヒフヘホ

ABCDEFGHIJKLMNOPQRSTUVWXYZ

1234567890

Free Font .012

ペン字版 Y.OzFont OTFパック

2Byte Font

作者 Y.Oz
URL http://yozvox.web.fc2.com/

WinTT MacTT OpenType MacPS

商用利用 OK（連絡希望）

春夏秋冬、四季の移ろい
あいうえお　かきくけこ　さしすせそ
タチツテト　ナニヌネノ　ハヒフヘホ
ABCDEFGHIJKLMNOPQRSTUVWXYZ
1234567890

Free Font .013

毛筆版 Y.OzFontK & M TTF/TTCパック

2Byte Font

作者 Y.Oz
URL http://yozvox.web.fc2.com/

WinTT MacTT OpenType MacPS

商用利用 OK（連絡希望）

春夏秋冬、四季の移ろい
あいうえお　かきくけこ　さしすせそ
タチツテト　ナニヌネノ　ハヒフヘホ
ABCDEFGHIJKLMNOPQRSTUVWXYZ
1234567890

Free Font .014

ゴシック&明朝 OTFパック

2Byte Font

作者 Y.Oz
URL http://yozvox.web.fc2.com/

WinTT MacTT OpenType MacPS

商用利用 OK（連絡希望）

春夏秋冬、四季の移ろい
あいうえお　かきくけこ　さしすせそ
タチツテト　ナニヌネノ　ハヒフヘホ
ABCDEFGHIJKLMNOPQRSTUVWXYZ
1234567890

Free Font .015

りいてがきN

作者 あおいりい

URL http://aoirii.babyblue.jp/font/index.html

WinTT MacTT OpenType MacPS

商用利用 OK(連絡希望)

春夏秋冬、四季の移ろい

あいうえお かきくけこ さしすせそ

タチツテト ナニヌネノ ハヒフヘホ

ABCDEFGHIJKLMNOPQRSTUVWXYZ

1234567890

Free Font .016

りいてがき筆

2Byte Font

作者 あおいりい

URL http://aoirii.babyblue.jp/font/index.html

WinTT MacTT OpenType MacPS

商用利用 OK(連絡希望)

春夏秋冬、四季の移ろい

あいうえお かきくけこ さしすせそ

タチツテト ナニヌネノ ハヒフヘホ

ABCDEFGHIJKLMNOPQRSTUVWXYZ

1234567890

Free Font .017

りいポップ角

2Byte Font

作者 あおいりい

URL http://aoirii.babyblue.jp/font/index.html

WinTT MacTT OpenType MacPS

商用利用 OK(連絡希望)

春夏秋冬、四季の移ろい

あいうえお かきくけこ さしすせそ

タチツテト ナニヌネノ ハヒフヘホ

ABCDEFGHIJKLMNOPQRSTUVWXYZ

1234567890

Free Font .018

あくびん

2Byte Font

作者 あくび印 | URL http://pandachan.jp/

WinTT | MacTT | OpenType | MacPS

商用利用 要カンパ(カンパウェア)

春夏秋冬、四季の移ろい

あいうえお　かきくけこ　さしすせそ

タチツテト　ナニヌネノ　ハヒフヘホ

ABCDEFGHIJKLMNOPQRSTUVWXYZ

1234567890

Free Font .019

じゃぽねすく

2Byte Font

作者 あくび印 | URL http://pandachan.jp/

WinTT | MacTT | OpenType | MacPS

商用利用 要カンパ(カンパウェア)

春夏秋冬、四季の移ろい

あいうえお　かきくけこ　さしすせそ

タチツテト　ナニヌネノ　ハヒフヘホ

ABCDEFGHIJKLMNOPQRSTUVWXYZ

1234567890

Free Font .020

ヘタレ字

2Byte Font

作者 きゃきらん | URL http://bakafonts.kyakirun.com/japanese/FIRST.HTM

WinTT | MacTT | OpenType | MacPS

商用利用 OK

春夏秋冬、四季の移ろい

あいうえお　かきくけこ　さしすせそ

タチツテト　ナニヌネノ　ハヒフヘホ

ABCDEFGHIJKLMNOPQRSTUVWXYZ

1234567890

Free Font .021

GD-高速道路ゴシックJA-OTF

2Byte Font

作者 ばんかれ

URL http://www.hogera.com/pcb/

WinTT / MacTT / OpenType / MacPS

商用利用 OK

春夏秋ふゆ、四きの移ろい

あいうえお　かきくけこ　さしすせそ

タチツテト　ナニヌネノ　ハヒフヘホ

ABCDEFGHIJKLMNOPQRSTUVWXYZ

1234567890

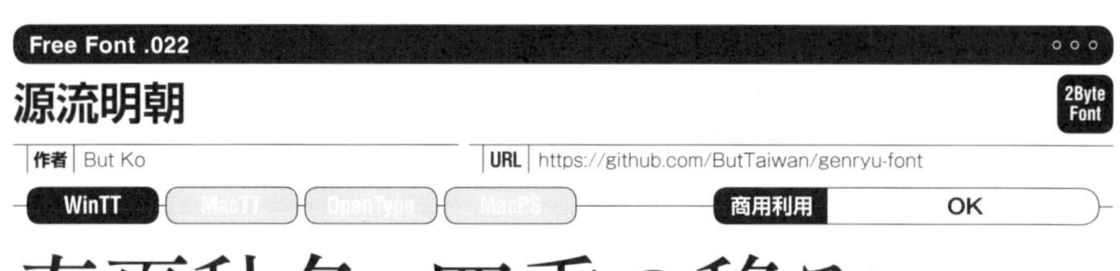

Free Font .022

源流明朝

2Byte Font

作者 But Ko

URL https://github.com/ButTaiwan/genryu-font

WinTT / MacTT / OpenType / MacPS

商用利用 OK

春夏秋冬、四季の移ろい

あいうえお　かきくけこ　さしすせそ

タチツテト　ナニヌネノ　ハヒフヘホ

ABCDEFGHIJKLMNOPQRSTUVWXYZ

1234567890

Free Font .023

壊雲体

2Byte Font

作者 井上デザイン・井上優

URL http://idfont.jp/

WinTT / MacTT / OpenType / MacPS

商用利用 OK（一部ケースは要確認）

春夏秋冬、四季の移ろい

あいうえお　かきくけこ　さしすせそ

タチツテト　ナニヌネノ　ハヒフヘホ

ABCDEFGHIJKLMNOPQRSTUVWXYZ

1234567890

Free Font .024

あいでぃーぽっぷまる

2Byte Font

作者 井上デザイン・井上優

URL http://idfont.jp/

WinTT MacTT OpenType MacPS

商用利用 OK（一部ケースは要確認）

春夏秋冬、四季の移ろい

あいうえお　かきくけこ　さしすせそ

タチツテト　ナニヌネノ　ハヒフヘホ

ABCDEFGHIJKLMNOPQRSTUVWXYZ

1234567890

Free Font .025

あいでぃーぽっぷふとまる

2Byte Font

作者 井上デザイン・井上優

URL http://idfont.jp/

WinTT MacTT OpenType MacPS

商用利用 OK（一部ケースは要確認）

春夏秋冬、四季の移ろい

あいうえお　かきくけこ　さしすせそ

タチツテト　ナニヌネノ　ハヒフヘホ

ABCDEFGHIJKLMNOPQRSTUVWXYZ

1234567890

Free Font .026

わびづきフォント

2Byte Font

作者 mshio

URL http://sourceforge.jp/projects/wabizuki-fonts/releases/

WinTT MacTT OpenType MacPS

商用利用 OK

春夏秋冬、四季の移ろい

あいうえお　かきくけこ　さしすせそ

タチツテト　ナニヌネノ　ハヒフヘホ

ABCDEFGHIJKLMNOPQRSTUVWXYZ

1234567890

Free Font .027

さわらびゴシック

2Byte Font

作者 mshio

URL http://sawarabi-fonts.sourceforge.jp/

WinTT MacTT **OpenType** MacPS

商用利用 OK

春夏秋冬、四季の移ろい

あいうえお　かきくけこ　さしすせそ

タチツテト　ナニヌネノ　ハヒフヘホ

ABCDEFGHIJKLMNOPQRSTUVWXYZ

1234567890

Free Font .028

さわらび明朝

2Byte Font

作者 mshio

URL http://sawarabi-fonts.sourceforge.jp/

WinTT MacTT **OpenType** MacPS

商用利用 OK

春夏秋冬、四季の移ろい

あいうえお　かきくけこ　さしすせそ

タチツテト　ナニヌネノ　ハヒフヘホ

ABCDEFGHIJKLMNOPQRSTUVWXYZ

1234567890

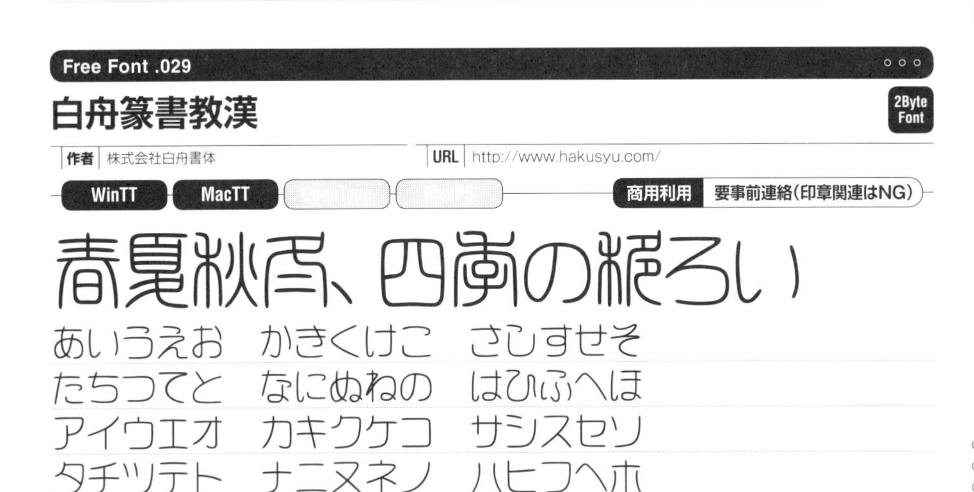

Free Font .029

白舟篆書教漢

2Byte Font

作者 株式会社白舟書体

URL http://www.hakusyu.com/

WinTT **MacTT** OpenType MacPS

商用利用 要事前連絡(印章関連はNG)

春夏秋冬、四季の移ろい

あいうえお　かきくけこ　さしすせそ

たちつてと　なにぬねの　はひふへほ

アイウエオ　カキクケコ　サシスセソ

タチツテト　ナニヌネノ　ハヒフヘホ

Free Font .030

白舟印相体教漢

作者 株式会社白舟書体 | URL http://www.hakusyu.com/

WinTT MacTT OpenType MacPS | 商用利用 要事前連絡（印章関連はNG）

春夏秋冬、四季の移ろい

あいうえお かきくけこ さしすせそ
たちつてと なにぬねの はひふへほ
アイウエオ カキクケコ サシスセソ
タチツテト ナニヌネノ ハヒフヘホ

Free Font .031

白舟極太楷書教漢

2Byte Font

作者 株式会社白舟書体 | URL http://www.hakusyu.com/

WinTT MacTT OpenType MacPS | 商用利用 要事前連絡（印章関連はNG）

春夏秋冬、四季の移ろい

あいうえお かきくけこ さしすせそ
たちつてと なにぬねの はひふへほ
アイウエオ カキクケコ サシスセソ
タチツテト ナニヌネノ ハヒフヘホ

Free Font .032

白舟古印体教漢

作者 株式会社白舟書体 | URL http://www.hakusyu.com/

WinTT MacTT OpenType MacPS | 商用利用 要事前連絡（印章関連はNG）

春夏秋冬、四季の移ろい

あいうえお かきくけこ さしすせそ
たちつてと なにぬねの はひふへほ
アイウエオ カキクケコ サシスセソ
タチツテト ナニヌネノ ハヒフヘホ

Free Font .033

白舟行書Pro教漢

作者	株式会社白舟書体	URL	http://www.hakusyu.com/

WinTT　MacTT　OpenType　MacPS　商用利用　要事前連絡(印章関連はNG)

春夏秋冬、四季の移ろい

あいうえお　かきくけこ　さしすせそ
たちつてと　なにぬねの　はひふへほ
アイウエオ　カキクケコ　サシスセソ
タチツテト　ナニヌネノ　ハヒフヘホ

Free Font .034

白舟行書教漢

2Byte Font

作者	株式会社白舟書体	URL	http://www.hakusyu.com/

WinTT　MacTT　OpenType　MacPS　商用利用　要事前連絡(印章関連はNG)

春夏秋冬、四季の移ろい

あいうえお　かきくけこ　さしすせそ
たちつてと　なにぬねの　はひふへほ
アイウエオ　カキクケコ　サシスセソ
タチツテト　ナニヌネノ　ハヒフヘホ

Free Font .035

白舟草書教漢

2Byte Font

作者	株式会社白舟書体	URL	http://www.hakusyu.com/

WinTT　MacTT　OpenType　MacPS　商用利用　要事前連絡(印章関連はNG)

春夏秋冬、四季の移ろい

あいうえお　かきくけこ　さしすせそ
たちつてと　なにぬねの　はひふへほ
アイウエオ　カキクケコ　サシスセソ
タチツテト　ナニヌネノ　ハヒフヘホ

Free Font .036

白舟隷書教漢

2Byte Font

作者 株式会社白舟書体　URL http://www.hakusyu.com/

WinTT MacTT OpenType MacPS　商用利用 要事前連絡(印章関連はNG)

春夏秋冬、四季の移ろい

あいうえお　かきくけこ　さしすせそ
たちつてと　なにぬねの　はひふへほ
アイウエオ　カキクケコ　サシスセソ
タチツテト　ナニヌネノ　ハヒフヘホ

Free Font .037

白舟楷書教漢

2Byte Font

作者 株式会社白舟書体　URL http://www.hakusyu.com/

WinTT MacTT OpenType MacPS　商用利用 要事前連絡(印章関連はNG)

春夏秋冬、四季の移ろい

あいうえお　かきくけこ　さしすせそ
たちつてと　なにぬねの　はひふへほ
アイウエオ　カキクケコ　サシスセソ
タチツテト　ナニヌネノ　ハヒフヘホ

Free Font .038

白舟篆古印教漢

2Byte Font

作者 株式会社白舟書体　URL http://www.hakusyu.com/

WinTT MacTT OpenType MacPS　商用利用 要事前連絡(印章関連はNG)

春夏秋冬、四季の移ろい

あいうえお　かきくけこ　さしすせそ
たちつてと　なにぬねの　はひふへほ
アイウエオ　カキクケコ　サシスセソ
タチツテト　ナニヌネノ　ハヒフヘホ

Free Font .039

白舟楷書御祝

作者 株式会社白舟書体　URL http://www.hakusyu.com/

WinTT　MacTT　OpenType　MacPS　商用利用 要事前連絡（印章関連はNG）

お祝　御祝儀　記念品

寄贈　御歓　賞品　寸志　粗品　内祝

贈呈　御供　記念品　御年賀　御供物

御霊前　御佛前　御年始　快気祝　お年玉

全快祝　祝入学　祝就職　御中元　御歳暮

Free Font .040

白舟行書御祝

作者 株式会社白舟書体　URL http://www.hakusyu.com/

WinTT　MacTT　OpenType　MacPS　商用利用 要事前連絡（印章関連はNG）

お祝　御祝儀　記念品

寄贈　御歓　賞品　寸志　粗品　内祝

贈呈　御供　記念品　御年賀　御供物

御霊前　御佛前　御年始　快気祝　お年玉

全快祝　祝入学　祝就職　御中元　御歳暮

Free Font .041

不忘フェルトペン

2Byte Font

作者 株式会社不忘印刷所　URL https://fuboh.jp/

WinTT　MacTT　OpenType　MacPS　商用利用 OK

春夏秋冬、四季の移ろい

あいうえお　かきくけこ　さしすせそ

タチツテト　ナニヌネノ　ハヒフヘホ

ABCDEFGHIJKLMNOPQRSTUVWXYZ

1234567890

Free Font .042

和田研細丸ゴシック

2Byte Font

作者 希土類元素レアアース

URL http://sourceforge.jp/projects/jis2004/wiki/FrontPage

WinTT MacTT OpenType MacPS

商用利用 OK

春夏秋冬、四季の移ろい

あいうえお　かきくけこ　さしすせそ

タチツテト　ナニヌネノ　ハヒフヘホ

ABCDEFGHIJKLMNOPQRSTUVWXYZ

1234567890

Free Font .043

あんずもじ

2Byte Font

作者 京風子

URL http://www8.plala.or.jp/p_dolce/

WinTT MacTT OpenType MacPS

商用利用 OK(連絡希望)

春夏秋冬、四季の移ろい

あいうえお　かきくけこ　さしすせそ

タチツテト　ナニヌネノ　ハヒフヘホ

ABCDEFGHIJKLMNOPQRSTUVWXYZ

1234567890

□△▽◇○◎◯

☆♀♂♪♭#

Free Font .044

あんずもじ奏

2Byte Font

作者 京風子

URL http://www8.plala.or.jp/p_dolce/

WinTT MacTT OpenType MacPS

商用利用 OK(連絡希望)

春夏秋冬、四季の移ろい

あいうえお　かきくけこ　さしすせそ

タチツテト　ナニヌネノ　ハヒフヘホ

ABCDEFGHIJKLMNOPQRSTUVWXYZ

1234567890

□△▽◇○◎◯

☆♀♂♪♭#

Free Font .045

あんずもじ湛

2Byte Font

作者 京風子 | URL http://www8.plala.or.jp/p_dolce/

WinTT MacTT OpenType MacPS

商用利用 OK(連絡希望)

春夏秋冬、四季の移ろい

あいうえお かきくけこ さしすせそ
タチツテト ナニヌネノ ハヒフヘホ
ABCDEFGHIJKLMNOPQRSTUVWXYZ
1234567890

ABCDEFGHIJKLM
NOPQRSTUVWXYZ
1234567890
吉 ☆ ♀ ♂ ♪ ♭ #

Free Font .046

あんずもじ等幅

2Byte Font

作者 京風子 | URL http://www8.plala.or.jp/p_dolce/

WinTT MacTT OpenType MacPS

商用利用 OK(連絡希望)

春夏秋冬、四季の移ろい

あいうえお かきくけこ さしすせそ
タチツテト ナニヌネノ ハヒフヘホ
ABCDEFGHIJKLMNOPQRSTUVWXYZ
1234567890

□ △ ▽ ◇ ○ ◎ ◯
☆ ♀ ♂ ♪ ♭ #

Free Font .047

あんずもじ始

2Byte Font

作者 京風子 | URL http://www8.plala.or.jp/p_dolce/

WinTT MacTT OpenType MacPS

商用利用 OK(連絡希望)

春夏秋冬、四季の移ろい

あいうえお かきくけこ さしすせそ
タチツテト ナニヌネノ ハヒフヘホ
ABCDEFGHIJKLMNOPQRSTUVWXYZ
1234567890

□△▽◇○◎
☆♀♂♪♭#

Free Font .048

あんずもじ始等幅

2Byte Font

作者 京風子 | URL http://www8.plala.or.jp/p_dolce/

WinTT | MacTT | OpenType | MacPS | 商用利用 OK(連絡希望)

春夏秋冬、四季の移ろい

あいうえお　かきくけこ　さしすせそ

タチツテト　ナニヌネノ　ハヒフヘホ

ABCDEFGHIJKLMNOPQRSTUVWXYZ

1234567890

□△▽◇○◎

☆♀♂♪♭#

Free Font .049

三丁目フォント

2Byte Font

作者 工藤謙一 | URL http://www.geocities.jp/bokurano_yume/

WinTT | MacTT | OpenType | MacPS | 商用利用 要事前連絡

春夏秋冬、四季の移ろい

あいうえお　かきくけこ　さしすせそ

タチツテト　ナニヌネノ　ハヒフヘホ

ABCDEFGHIJKLMNOPQRSTUVWXYZ

1234567890

Free Font .050

M+ OUTLINE FONTS

2Byte Font

作者 森下浩司 | URL http://mplus-fonts.sourceforge.jp/

WinTT | MacTT | OpenType | MacPS | 商用利用 OK

春夏秋冬、四季の移ろい

あいうえお　かきくけこ　さしすせそ

タチツテト　ナニヌネノ　ハヒフヘホ

ABCDEFGHIJKLMNOPQRSTUVWXYZ

1234567890

XANO明朝

作者	内田明	URL	http://www.asahi-net.or.jp/~sd5a-ucd/freefonts/XANO-mincho/

WinTT　MacTT　OpenType　MacPS

商用利用	OK

春夏秋冬、四季の移ろい

あいうえお　かきくけこ　さしすせそ

タチツテト　ナニヌネノ　ハヒフヘホ

ABCDEFGHIJKLMNOPQRSTUVWXYZ

1234567890

Free Font .052

青柳衡山フォントT

作者	武蔵システム	URL	http://opentype.jp/

WinTT　MacTT　OpenType　MacPS

商用利用	OK

春夏秋冬、四季の移ろい

あいうえお　かきくけこ　さしすせそ

タチツテト　ナニヌネノ　ハヒフヘホ

ABCDEFGHIJKLMNOPQRSTUVWXYZ

1234567890

Free Font .053

衡山毛筆フォント

作者	武蔵システム	URL	http://opentype.jp/

WinTT　MacTT　OpenType　MacPS

商用利用	OK

春夏秋冬、四季の移ろい

あいうえお　かきくけこ　さしすせそ

タチツテト　ナニヌネノ　ハヒフヘホ

ABCDEFGHIJKLMNOPQRSTUVWXYZ

1234567890

Free Font .054

衡山毛筆フォント行書

2Byte Font

作者 武蔵システム URL http://opentype.jp/

WinTT MacTT OpenType MacPS 商用利用 OK

春夏秋冬、四季の移ろい

あいうえお かきくけこ さしすせそ

タチツテト ナニヌネノ ハヒフヘホ

ABCDEFGHIJKLMNOPQRSTUVWXYZ

1234567890

Free Font .055

衡山毛筆フォント草書

2Byte Font

作者 武蔵システム URL http://opentype.jp/

WinTT MacTT OpenType MacPS 商用利用 OK

春夏秋冬、四季の移ろい

あいうえお かきくけこ さしすせそ

タチツテト ナニヌネノ ハヒフヘホ

ABCDEFGHIJKLMNOPQRSTUVWXYZ

1234567890

Free Font .056

青柳疎石フォント

2Byte Font

作者 武蔵システム URL http://opentype.jp/

WinTT MacTT OpenType MacPS 商用利用 OK

春夏秋冬、四季の移ろい

あいうえお かきくけこ さしすせそ

タチツテト ナニヌネノ ハヒフヘホ

ABCDEFGHIJKLMNOPQRSTUVWXYZ

1234567890

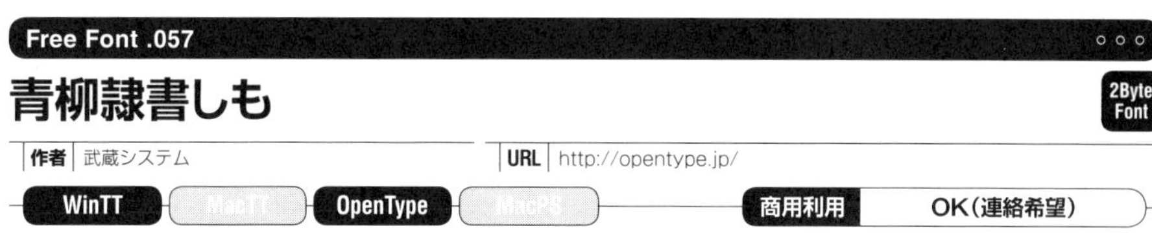

Free Font .057

青柳隷書しも

2Byte Font

作者 武蔵システム　URL http://opentype.jp/

WinTT　MacTT　OpenType　MacPS　商用利用 OK（連絡希望）

春夏秋冬、四季の移ろい

あいうえお　かきくけこ　さしすせそ

タチツテト　ナニヌネノ　ハヒフヘホ

ABCDEFGHIJKLMNOPQRSTUVWXYZ

1234567890

Free Font .058

半角フォント

2Byte Font

作者 武蔵システム　URL http://opentype.jp/

WinTT　MacTT　OpenType　MacPS　商用利用 OK

日本の春夏秋冬

あいうえお　かきくけこ　さしすせそ

タチツテト　ナニヌネノ　ハヒフヘホ

ABCDEFGHIJKLMNOPQRSTUVWXYZ

1234567890

日本の春夏秋冬

あいうえお　かきくけこ　さしすせそ

タチツテト　ナニヌネノ　ハヒフヘホ

ABCDEFGHIJKLMNOPQRSTUVWXYZ

1234567890

Free Font .059

2/3角フォント

2Byte Font

作者 武蔵システム　URL http://opentype.jp/

WinTT　MacTT　OpenType　MacPS　商用利用 OK

日本の春夏秋冬

あいうえお　かきくけこ　さしすせそ

タチツテト　ナニヌネノ　ハヒフヘホ

ABCDEFGHIJKLMNOPQRSTUVWXYZ

1234567890

日本の春夏秋冬

あいうえお　かきくけこ　さしすせそ

タチツテト　ナニヌネノ　ハヒフヘホ

ABCDEFGHIJKLMNOPQRSTUVWXYZ

1234567890

Free Font .060

鏡文字明朝、鏡文字ゴシック

2Byte Font

作者 武蔵システム　URL http://opentype.jp/

WinTT　MacTT　OpenType　MacPS　商用利用 OK

日本の春夏秋冬　日本の春夏秋冬

あいうえお　かきくけこ　あいうえお　かきくけこ

タチツテト　ナニヌネノ　タチツテト　ナニヌネノ

ABCDEFGHIJKLMNOPQRSTUVWX　ABCDEFGHIJKLMNOPQRSTUVWX

1234567890　1234567890

Free Font .061

ほにゃ字

2Byte Font

作者 鈴木るいち　URL http://honya.nyanta.jp/

WinTT　MacTT　OpenType　MacPS　商用利用 要カンパ(カンパウェア)

春夏秋冬、四季の移ろい

あいうえお　かきくけこ　さしすせそ

タチツテト　ナニヌネノ　ハヒフヘホ

ABCDEFGHIJKLMNOPQRSTUVWXYZ

1234567890

Free Font .062

ぎゃーてーるみねっせんす

作者 マルセ　URL http://marusexijaxs.web.fc2.com/

WinTT　MacTT　OpenType　MacPS　商用利用 OK(連絡希望)

春夏秋冬、四季の移ろい

あいうえお　かきくけこ　さしすせそ

タチツテト　ナニヌネノ　ハヒフヘホ

ABCDEFGHIJKLMNOPQRSTUVWXYZ

1234567890

Free Font .063

きずだらけのぎゃーてー

2Byte Font

作者 マルセ　URL http://marusexijaxs.web.fc2.com/

WinTT　MacTT　OpenType　MacPS　商用利用 OK（連絡希望）

春夏秋冬、四季の移ろい

あいうえお　かきくけこ　さしすせそ

タチツテト　ナニヌネノ　ハヒフヘホ

ABCDEFGHIJKLMNOPQRSTUVWXYZ

1234567890

Free Font .064

じゆうちょうフォント

2Byte Font

作者 マルセ　URL http://marusexijaxs.web.fc2.com/

WinTT　MacTT　OpenType　MacPS　商用利用 OK（連絡希望）

春夏秋冬、四季の移ろい

あいうえお　かきくけこ　さしすせそ

タチツテト　ナニヌネノ　ハヒフヘホ

ABCDEFGHIJKLMNOPQRSTUVWXYZ

1234567890

Free Font .065

クイズフォント「QUIZ SHOW」

2Byte Font

作者 マルセ　URL http://marusexijaxs.web.fc2.com/

WinTT　MacTT　OpenType　MacPS　商用利用 OK（連絡希望）

アメリカ横断ウイズ

ウルトラ 成田 グァム行き 敗退 勝ち抜け！ 南北激突

出発!! 決定！ 残念 失格!! ハワイ行き 高校生

ABCDEFGHIJKLMNOPQRSTUVWXYZ

1234567890

Free Font .066

チェックポイントフォント

2Byte Font

作者 マルセ　URL http://marusexijaxs.web.fc2.com/

WinTT　MacTT　OpenType　MacPS　商用利用 OK(連絡希望)

春夏秋冬、四季の移ろい

あいうえお　かきくけこ　さしすせそ

タチツテト　ナニヌネノ　ハヒフヘホ

ABCDEFGHIJKLMNOPQRSTUVWXYZ

1234567890

Free Font .067

クイズフォント「THE 横断」

2Byte Font

作者 マルセ　URL http://marusexijaxs.web.fc2.com/

WinTT　MacTT　OpenType　MacPS　商用利用 OK(連絡希望)

アメリカ横断クイズ

アイウエオ　カキクケコ　サシスセソ

タチツテト　ナニヌネノ　ハヒフヘホ

アイウエオ　カキクケコ　サシスセソ

タチツテト　ナニヌネノ　ハヒフヘホ

Free Font .068

クイズフォント「U-Fo」

2Byte Font

作者 マルセ　URL http://marusexijaxs.web.fc2.com/

WinTT　MacTT　OpenType　MacPS　商用利用 OK(連絡希望)

アメリカ横断クイズ

ウルトラ　東京　空港　成田　史上最大　大会

ワシントンD.C　関東ブロック　東北　四国　九州

タチツテト　ナニヌネノ　ハヒフヘホ

1234567890

Free Font .069

チェックアンド横断フォント

2Byte Font

作者 マルセ

URL http://marusexijaxs.web.fc2.com/

WinTT / MacTT / OpenType / MacPS

商用利用 OK（連絡希望）

春夏秋冬、四季の移ろい

あいうえお　かきくけこ　さしすせそ

タチツテト　ナニヌネノ　ハヒフヘホ

ABCDEFGHIJKLMNOPQRSTUVWXYZ

1234567890

Free Font .070

チェックアンドU-Foフォント

2Byte Font

作者 マルセ

URL http://marusexijaxs.web.fc2.com/

WinTT / MacTT / OpenType / MacPS

商用利用 OK（連絡希望）

春夏秋冬、四季の移ろい

あいうえお　かきくけこ　さしすせそ

タチツテト　ナニヌネノ　ハヒフヘホ

ABCDEFGHIJKLMNOPQRSTUVWXYZ

1234567890

Free Font .071

ゆず ペン字

2Byte Font

作者 神楽坂柚

URL http://black-yuzunyan.lolipop.jp/

WinTT / MacTT / OpenType / MacPS

商用利用 OK

春夏秋冬、四季の移ろい

あいうえお　かきくけこ　さしすせそ

タチツテト　ナニヌネノ　ハヒフヘホ

ABCDEFGHIJKLMNOPQRSTUVWXYZ

1234567890

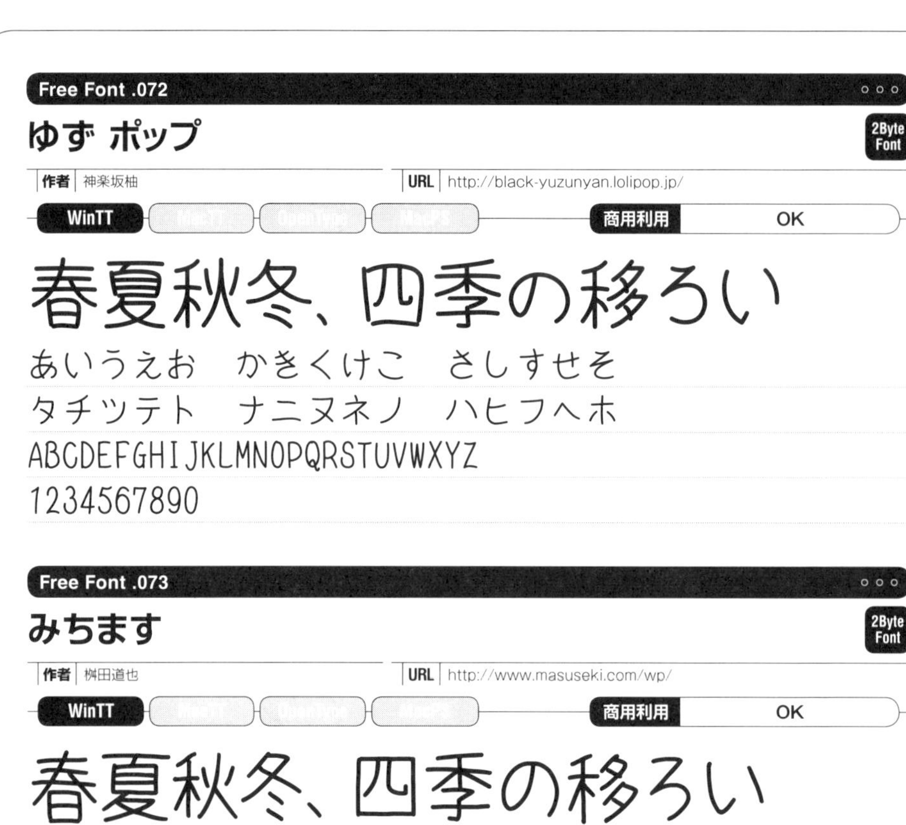

Free Font .072

ゆず ポップ

2Byte Font

作者 神楽坂柚　URL http://black-yuzunyan.lolipop.jp/

WinTT　商用利用 OK

春夏秋冬、四季の移ろい
あいうえお　かきくけこ　さしすせそ
タチツテト　ナニヌネノ　ハヒフヘホ
ABCDEFGHIJKLMNOPQRSTUVWXYZ
1234567890

Free Font .073

みちます

2Byte Font

作者 桝田道也　URL http://www.masuseki.com/wp/

WinTT　商用利用 OK

春夏秋冬、四季の移ろい
あいうえお　かきくけこ　さしすせそ
タチツテト　ナニヌネノ　ハヒフヘホ
ABCDEFGHIJKLMNOPQRSTUVWXYZ
1234567890

Free Font .074

Konatu Font

Bitmap Font　2Byte Font

作者 桝田道也　URL http://www.masuseki.com/wp/

WinTT　MacTT　商用利用 OK

春夏秋冬、四季の移ろい
あいうえお　かきくけこ　さしすせそ
タチツテト　ナニヌネノ　ハヒフヘホ
ABCDEFGHIJKLMNOPQRSTUVWXYZ
1234567890

Free Font .075

IPAex明朝

2Byte Font

作者 独立行政法人情報処理推進機構

URL http://www.ipa.go.jp/

WinTT MacTT OpenType MacPS

商用利用 OK

春夏秋冬、四季の移ろい

あいうえお　かきくけこ　さしすせそ

タチツテト　ナニヌネノ　ハヒフヘホ

ABCDEFGHIJKLMNOPQRSTUVWXYZ

1234567890

Free Font .076

IPAexゴシック

2Byte Font

作者 独立行政法人情報処理推進機構

URL http://www.ipa.go.jp/

WinTT MacTT OpenType MacPS

商用利用 OK

春夏秋冬、四季の移ろい

あいうえお　かきくけこ　さしすせそ

タチツテト　ナニヌネノ　ハヒフヘホ

ABCDEFGHIJKLMNOPQRSTUVWXYZ

1234567890

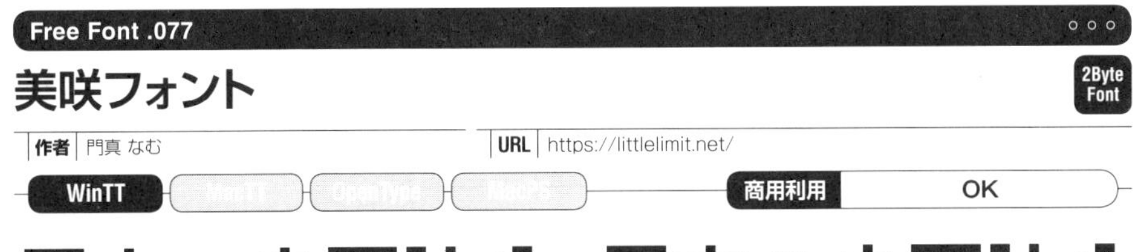

Free Font .077

美咲フォント

2Byte Font

作者 門真 なむ

URL https://littlelimit.net/

WinTT MacTT OpenType MacPS

商用利用 OK

日本の春夏秋冬　日本の春夏秋冬

あいうえお　かきくけこ　あいうえお　かきくけこ

タチツテト　ナニヌネノ　タチツテト　ナニヌネノ

ABCDEFGHIJKLMNOPQRSTUVWX　ABCDEFGHIJKLMNOPQRSTUVWX

1234567890　1234567890

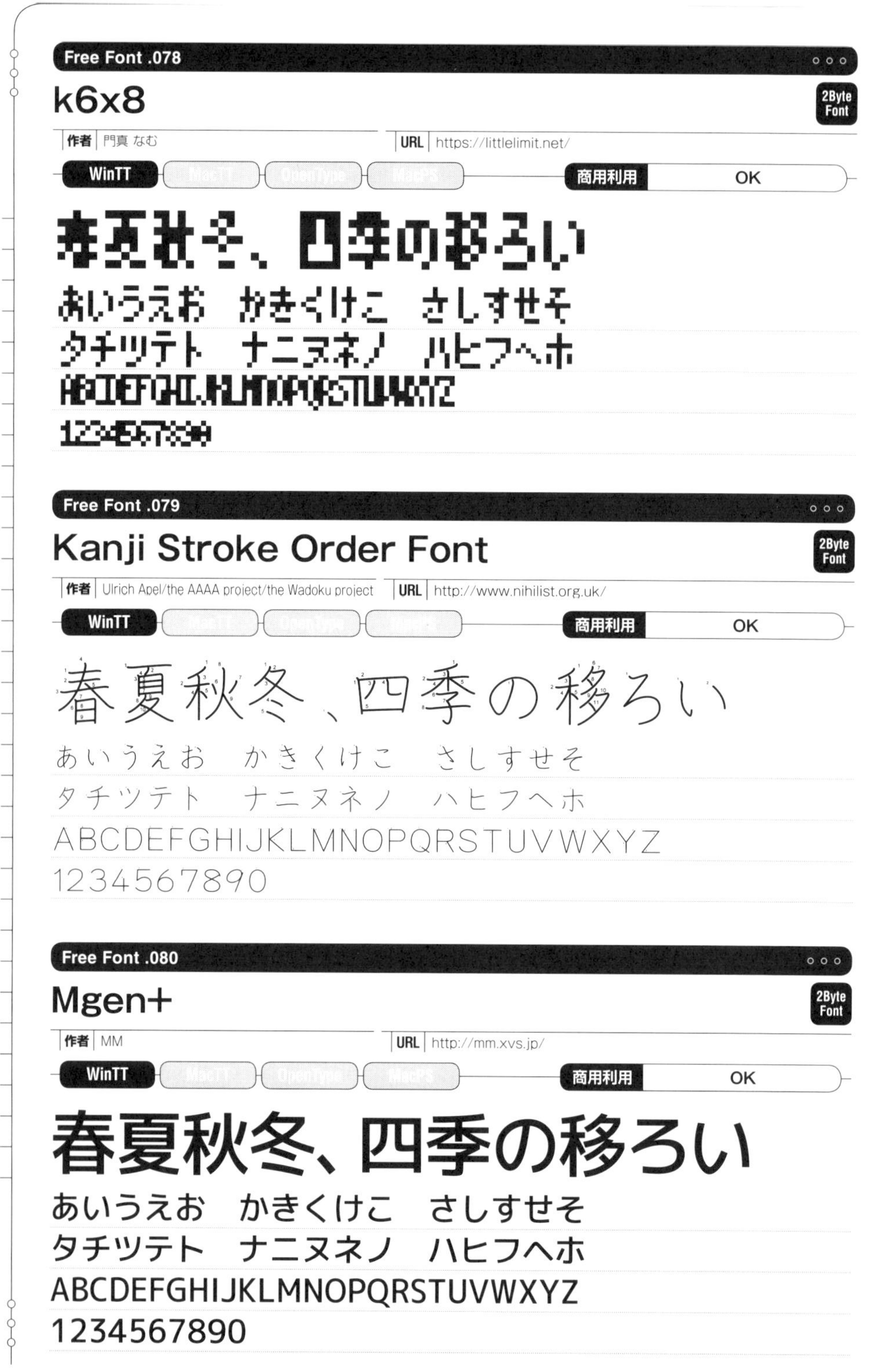
Free Font .078
k6x8
2Byte Font
作者 門真 なむ
URL https://littlelimit.net/
WinTT
MacTT
OpenType
MacPS
商用利用 OK
春夏秋冬、四季の移ろい
あいうえお かきくけこ さしすせそ
タチツテト ナニヌネノ ハヒフヘホ
ABCDEFGHIJKLMNOPQRSTUVWXYZ
1234567890
Free Font .079
Kanji Stroke Order Font
2Byte Font
作者 Ulrich Apel/the AAAA project/the Wadoku project
URL http://www.nihilist.org.uk/
WinTT
MacTT
OpenType
MacPS
商用利用 OK
春夏秋冬、四季の移ろい
あいうえお かきくけこ さしすせそ
タチツテト ナニヌネノ ハヒフヘホ
ABCDEFGHIJKLMNOPQRSTUVWXYZ
1234567890
Free Font .080
Mgen+
2Byte Font
作者 MM
URL http://mm.xvs.jp/
WinTT
MacTT
OpenType
MacPS
商用利用 OK
春夏秋冬、四季の移ろい
あいうえお かきくけこ さしすせそ
タチツテト ナニヌネノ ハヒフヘホ
ABCDEFGHIJKLMNOPQRSTUVWXYZ
1234567890

Free Font .081

自家製 Rounded M+

2Byte Font

作者 MM

URL http://mm.xvs.jp/

WinTT MacTT OpenType MacPS

商用利用 OK

春夏秋冬、四季の移ろい

あいうえお　かきくけこ　さしすせそ

タチツテト　ナニヌネノ　ハヒフヘホ

ABCDEFGHIJKLMNOPQRSTUVWXYZ

1234567890

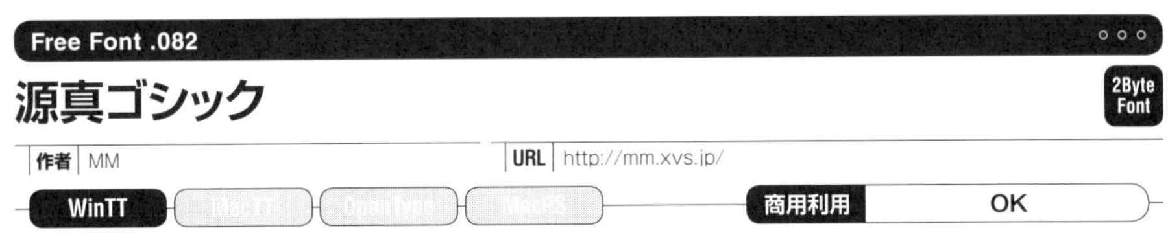

Free Font .082

源真ゴシック

2Byte Font

作者 MM

URL http://mm.xvs.jp/

WinTT MacTT OpenType MacPS

商用利用 OK

春夏秋冬、四季の移ろい

あいうえお　かきくけこ　さしすせそ

タチツテト　ナニヌネノ　ハヒフヘホ

ABCDEFGHIJKLMNOPQRSTUVWXYZ

1234567890

Free Font .083

源柔ゴシック

2Byte Font

作者 MM

URL http://mm.xvs.jp/

WinTT MacTT OpenType MacPS

商用利用 OK

春夏秋冬、四季の移ろい

あいうえお　かきくけこ　さしすせそ

タチツテト　ナニヌネノ　ハヒフヘホ

ABCDEFGHIJKLMNOPQRSTUVWXYZ

1234567890

Free Font .084

Source Han Sans

2Byte Font

作者 google/adobe　URL https://github.com/adobe-fonts/source-han-sans

WinTT　MacTT　OpenType　MacPS　商用利用 OK

春夏秋冬、四季の移ろい

あいうえお　かきくけこ　さしすせそ

タチツテト　ナニヌネノ　ハヒフヘホ

ABCDEFGHIJKLMNOPQRSTUVWXYZ

1234567890

Free Font .085

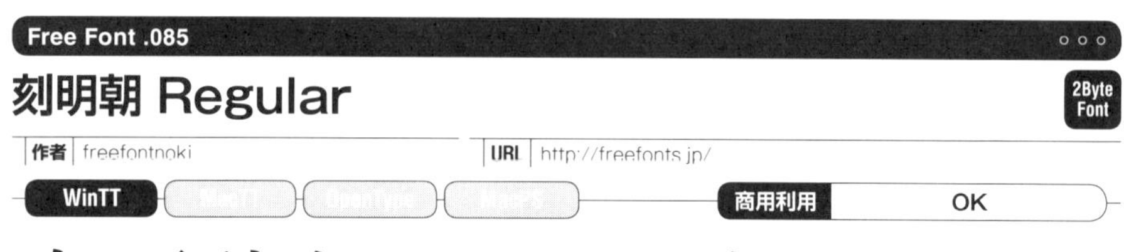

刻明朝 Regular

2Byte Font

作者 freefontnoki　URL http://freefonts.jp/

WinTT　MacTT　OpenType　MacPS　商用利用 OK

春夏秋冬、四季の移ろい

あいうえお　かきくけこ　さしすせそ

タチツテト　ナニヌネノ　ハヒフヘホ

ABCDEFGHIJKLMNOPQRSTUVWXYZ

1234567890

Free Font .086

刻ゴシック Light

2Byte Font

作者 freefontnoki　URL http://freefonts.jp/

WinTT　MacTT　OpenType　MacPS　商用利用 OK

春夏秋冬、四季の移ろい

あいうえお　かきくけこ　さしすせそ

タチツテト　ナニヌネノ　ハヒフヘホ

ABCDEFGHIJKLMNOPQRSTUVWXYZ

1234567890

Free Font .087

小瑠璃フォント

2Byte Font

作者 Hotaka Hitagi (lindwurm) /M+ FONTS PROJECT/Steve Matteson

URL https://koruri.github.io

WinTT MacTT OpenType MacPS

商用利用 OK

春夏秋冬、四季の移ろい

あいうえお　かきくけこ　さしすせそ

タチツテト　ナニヌネノ　ハヒフヘホ

ABCDEFGHIJKLMNOPQRSTUVWXYZ

1234567890

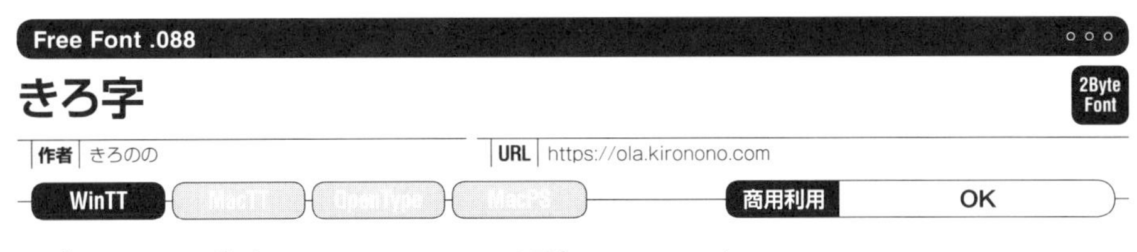

Free Font .088

きろ字

2Byte Font

作者 きろのの

URL https://ola.kironono.com

WinTT MacTT OpenType MacPS

商用利用 OK

春夏秋冬、四季の移ろい

あいうえお　かきくけこ　さしすせそ

タチツテト　ナニヌネノ　ハヒフヘホ

ABCDEFGHIJKLMNOPQRSTUVWXYZ

1234567890

Free Font .089

花園明朝

2Byte Font

作者 GlyphWiki Project

URL http://fonts.jp/hanazono/

WinTT MacTT OpenType MacPS

商用利用 OK

春夏秋冬、四季の移ろい

あいうえお　かきくけこ　さしすせそ

タチツテト　ナニヌネノ　ハヒフヘホ

ABCDEFGHIJKLMNOPQRSTUVWXYZ

1234567890

Free Font .090

ぐずりフォント一年生

2Byte Font

作者 高町ぐずり

URL http://sukuranburu.net/

OpenType

商用利用 OK

四きのうつろい

あいうえお　かきくけこ　さしすせそ

タチツテト　ナニヌネノ　ハヒフヘホ

ABCDEFGHIJKLMNOPQRSTUVWXYZ

1234567890

Free Font .091

たぬき油性マジック

2Byte Font

作者 たぬき侍

URL http://tanukifont.com/

WinTT

商用利用 OK

春夏秋冬、四季の移ろい

あいうえお　かきくけこ　さしすせそ

タチツテト　ナニヌネノ　ハヒフヘホ

ABCDEFGHIJKLMNOPQRSTUVWXYZ

1234567890

Free Font .092

押出Mゴシック

2Byte Font

作者 たぬき侍

URL http://tanukifont.com/

WinTT

商用利用 OK

春夏秋冬、四季の移ろい

あいうえお　かきくけこ　さしすせそ

タチツテト　ナニヌネノ　ハヒフヘホ

ABCDEFGHIJKLMNOPQRSTUVWXYZ

1234567890

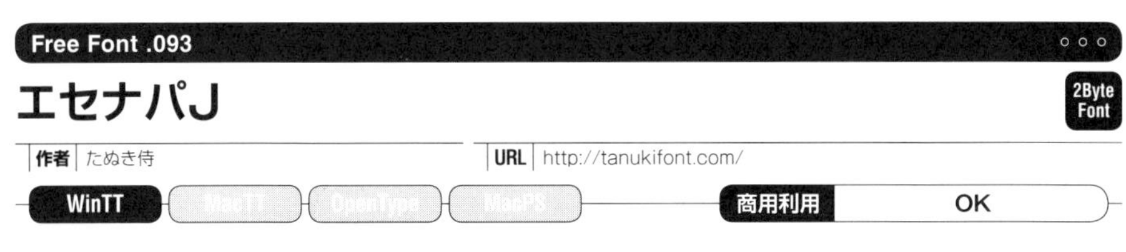

Free Font .093

エセナパJ

2Byte Font

作者 たぬき侍　URL http://tanukifont.com/

WinTT　MacTT　OpenType　MacPS　商用利用 OK

正しい日本語表記もバッテリ

あいラぇぉ　力きくけこ　ちレすせそ

タテシテト　ナニ又ネノ　八ヒフへホ

ABCDEFGHIJKLMNOPQRSTUVWXYZ

1234567890

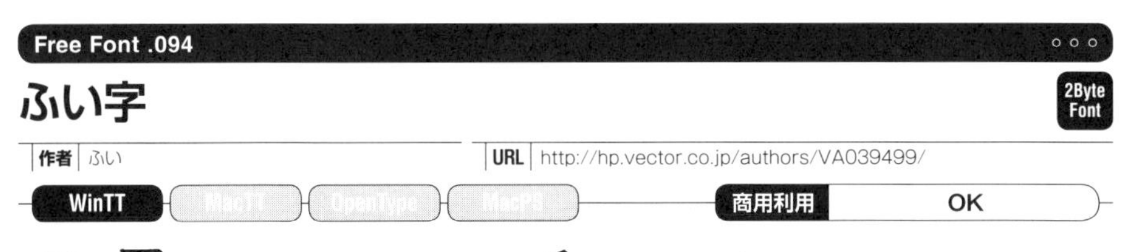

Free Font .094

ふい字

2Byte Font

作者 ふい　URL http://hp.vector.co.jp/authors/VA039499/

WinTT　MacTT　OpenType　MacPS　商用利用 OK

春夏秋冬、四季の移ろい

あいうえお　かきくけこ　さしすせそ

タチッテト　ナニヌネノ　ハヒフヘホ

ABCDEFGHIJkLMNOPQRSTUVWXYZ

1234567890

Free Font .095

まきばフォント

2Byte Font

作者 ふい　URL http://hp.vector.co.jp/authors/VA039499/

WinTT　MacTT　OpenType　MacPS　商用利用 OK

春夏秋冬、四季の移ろい

あいうえお　かきくけこ　さしすせそ

タチツテト　ナニヌネノ　ハヒフヘホ

ABCDEFGHIJKLMNOPQRSTUVWXYZ

1234567890

Free Font .096
おひさまフォント
2Byte Font
作者 ふい
URL http://hp.vector.co.jp/authors/VA039499/
WinTT
商用利用 OK
春夏秋冬、四季の移ろい
あいうえお かきくけこ さしすせそ
タチツテト ナニヌネノ ハヒフヘホ
ABCDEFGHIJKLMNOPQRSTUVWXYZ
1234567890
Free Font .097
みかちゃん
2Byte Font
作者 みかちゃん
URL http://www001.upp.so-net.ne.jp/mikachan/
WinTT
MacTT
OpenType
商用利用 OK
春夏秋冬、四季の移ろい
あいうえお かきくけこ さしすせそ
タチツテト ナニヌネノ ハヒフヘホ
ABCDEFGHIJKLMNOPQRSTUVWXYZ
1234567890
Free Font .098
ミウラLiner-jr
2Byte Font
作者 MopStudio
URL http://www.mopstudio.jp/
WinTT
MacTT
商用利用 OK
春夏秋冬、四きのうつろい
あいうえお かきくけこ さしすせそ
タチツテト ナニヌネノ ハヒフヘホ
ABCDEFGHIJKLMNOPQRSTUVWXYZ
1234567890

Free Font .099

MigMix 1P

2Byte Font

作者 itouhiro　URL http://mix-mplus-ipa.sourceforge.jp/

WinTT　MacTT　OpenType　MacPS　商用利用 OK

春夏秋冬、四季の移ろい

あいうえお　かきくけこ　さしすせそ

タチツテト　ナニヌネノ　ハヒフヘホ

ABCDEFGHIJKLMNOPQRSTUVWXYZ

1234567890

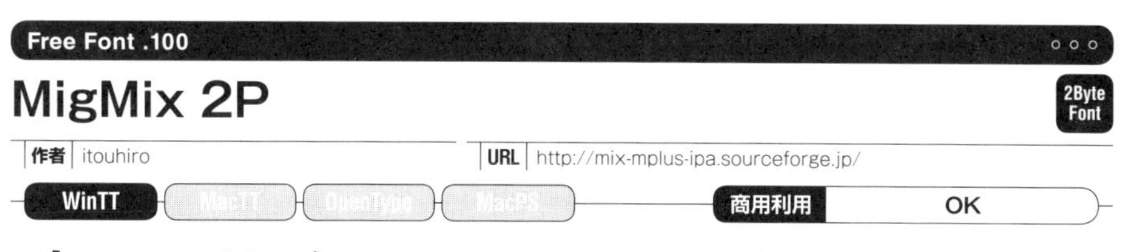

Free Font .100

MigMix 2P

2Byte Font

作者 itouhiro　URL http://mix-mplus-ipa.sourceforge.jp/

WinTT　MacTT　OpenType　MacPS　商用利用 OK

春夏秋冬、四季の移ろい

あいうえお　かきくけこ　さしすせそ

タチツテト　ナニヌネノ　ハヒフヘホ

ABCDEFGHIJKLMNOPQRSTUVWXYZ

1234567890

Free Font .101

MigMix 1M

2Byte Font

作者 itouhiro　URL http://mix-mplus-ipa.sourceforge.jp/

WinTT　MacTT　OpenType　MacPS　商用利用 OK

春夏秋冬、四季の移ろい

あいうえお　かきくけこ　さしすせそ

タチツテト　ナニヌネノ　ハヒフヘホ

ABCDEFGHIJKLMNOPQRSTUVWXYZ

1234567890

Free Font .102

MigMix 2M

2Byte Font

作者 itouhiro　URL http://mix-mplus-ipa.sourceforge.jp/

WinTT　MacTT　OpenType　MacPS　商用利用 OK

春夏秋冬、四季の移ろい

あいうえお　かきくけこ　さしすせそ

タチツテト　ナニヌネノ　ハヒフへホ

ABCDEFGHIJKLMNOPQRSTUVWXYZ

1234567890

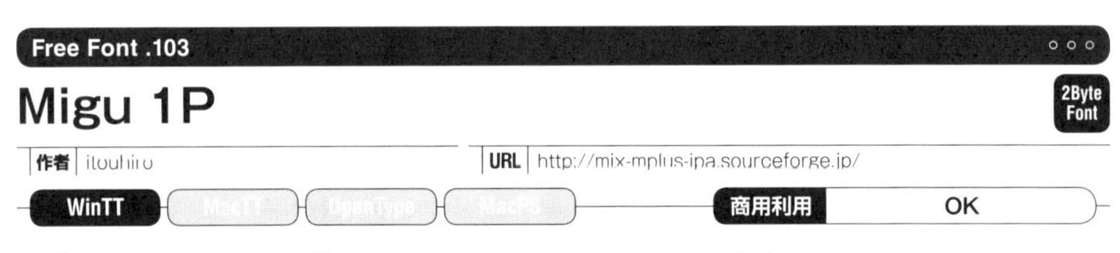

Free Font .103

Migu 1P

2Byte Font

作者 itouhiro　URL http://mix-mplus-ipa.sourceforge.jp/

WinTT　MacTT　OpenType　MacPS　商用利用 OK

春夏秋冬、四季の移ろい

あいうえお　かきくけこ　さしすせそ

タチツテト　ナニヌネノ　ハヒフへホ

ABCDEFGHIJKLMNOPQRSTUVWXYZ

1234567890

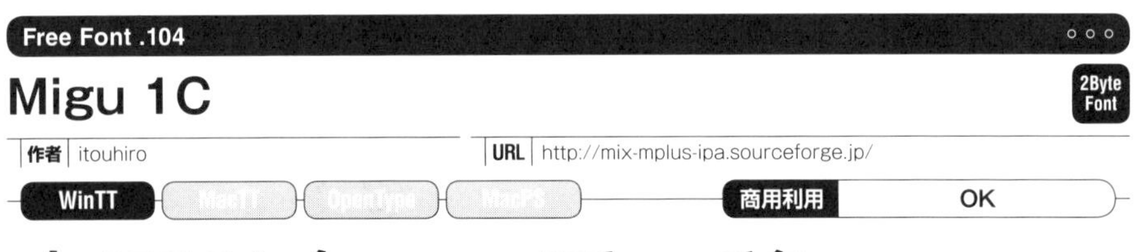

Free Font .104

Migu 1C

2Byte Font

作者 itouhiro　URL http://mix-mplus-ipa.sourceforge.jp/

WinTT　MacTT　OpenType　MacPS　商用利用 OK

春夏秋冬、四季の移ろい

あいうえお　かきくけこ　さしすせそ

タチツテト　ナニヌネノ　ハヒフへホ

ABCDEFGHIJKLMNOPQRSTUVWXYZ

1234567890

Free Font .105

GL-アンチックPLUS

2Byte Font

作者 Gutenberg Labo

URL http://gutenberg.sourceforge.jp/ja/

WinTT　MacTT　OpenType　MacPS

商用利用 OK

春夏秋冬、四季の移ろい

あいうえお　かきくけこ　さしすせそ

タチツテト　ナニヌネノ　ハヒフヘホ

ABCDEFGHIJKLMNOPQRSTUVWXYZ

1234567890

Free Font .106

ぼくたちのゴシック

2Byte Font

作者 中井良尚

URL https://fontopo.com

WinTT　MacTT　OpenType　MacPS

商用利用 OK

春夏秋冬、四季の移ろい

あいうえお　かきくけこ　さしすせそ

タチツテト　ナニヌネノ　ハヒフヘホ

ABCDEFGHIJKLMNOPQRSTUVWXYZ

1234567890

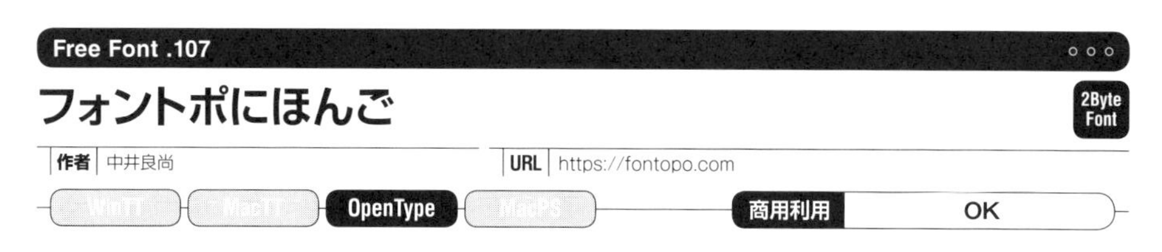

Free Font .107

フォントポにほんご

2Byte Font

作者 中井良尚

URL https://fontopo.com

WinTT　MacTT　OpenType　MacPS

商用利用 OK

春夏秋冬、四季の移ろい

あいうえお　かきくけこ　さしすせそ

タチツテト　ナニヌネノ　ハヒフヘホ

ABCDEFGHIJKLMNOPQRSTUVWXYZ

1234567890

Free Font .108

こども丸ゴシック

2Byte Font

作者 中井良尚 URL http://typingart.net/

WinTT MacTT OpenType MacPS 商用利用 OK

春夏秋冬、四きのうつろい

あいうえお かきくけこ さしすせそ

タチツテト ナニヌネノ ハヒフヘホ

ABCDEFGHIJKLMNOPQRSTUVWXYZ

1234567890

Free Font .109

こども丸ゴシック細め

2Byte Font

作者 中井良尚 URL http://typingart.net/

WinTT MacTT OpenType MacPS 商用利用 OK

春夏秋冬、四きのうつろい

あいうえお かきくけこ さしすせそ

タチツテト ナニヌネノ ハヒフヘホ

ABCDEFGHIJKLMNOPQRSTUVWXYZ

1234567890

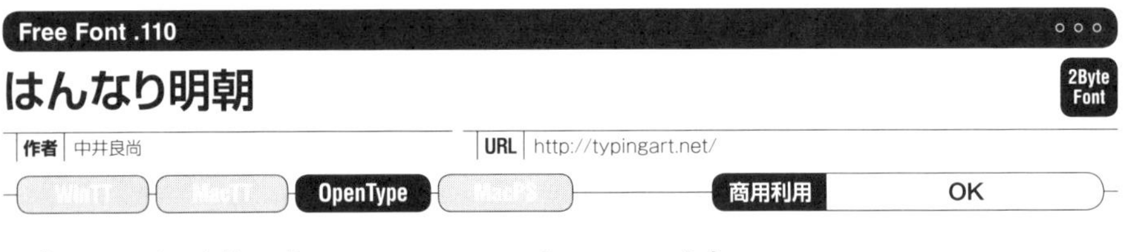

Free Font .110

はんなり明朝

2Byte Font

作者 中井良尚 URL http://typingart.net/

WinTT MacTT OpenType MacPS 商用利用 OK

春夏秋冬、四季の移ろい

あいうえお かきくけこ さしすせそ

タチツテト ナニヌネノ ハヒフヘホ

ABCDEFGHIJKLMNOPQRSTUVWXYZ

1234567890

Free Font .111

IPAmj明朝フォント

2Byte Font

作者 独立行政法人情報処理推進機構 | URL http://www.ipa.go.jp/

WinTT | MacTT | OpenType | MacPS | 商用利用 OK

春夏秋冬、四季の移ろい

あいうえお　かきくけこ　さしすせそ

タチツテト　ナニヌネノ　ハヒフヘホ

ABCDEFGHIJKLMNOPQRSTUVWXYZ

1234567890

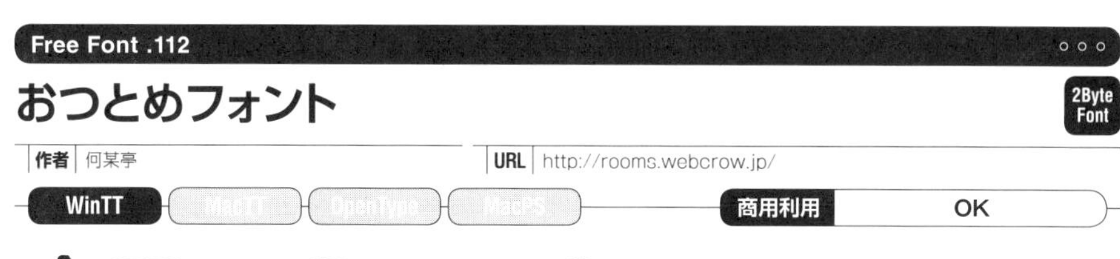

Free Font .112

おつとめフォント

2Byte Font

作者 何某亭 | URL http://rooms.webcrow.jp/

WinTT | MacTT | OpenType | MacPS | 商用利用 OK

春夏秋冬、四季の移ろい

あいうえお　かきくけこ　さしすせそ

タチツテト　ナニヌネノ　ハヒフヘホ

ABCDEFGHIJKLMNOPQRSTUVWXYZ

1234567890

Free Font .113

源暎ゴシックN KL

2Byte Font

作者 おたもん | URL http://okoneya.jp/

WinTT | MacTT | OpenType | MacPS | 商用利用 OK

春夏秋冬、四季の移ろい

あいうえお　かきくけこ　さしすせそ

タチツテト　ナニヌネノ　ハヒフヘホ

ABCDEFGHIJKLMNOPQRSTUVWXYZ

1234567890

Free Font .114

源暎アンチック

2Byte Font

作者 おたもん ｜ URL http://okoneya.jp/

WinTT ｜ MacTT ｜ OpenType ｜ MacPS

商用利用 OK

春夏秋冬、四季の移ろい

あいうえお　かきくけこ　さしすせそ

タチツテト　ナニヌネノ　ハヒフヘホ

ABCDEFGHIJKLMNOPQRSTUVWXYZ

1234567890

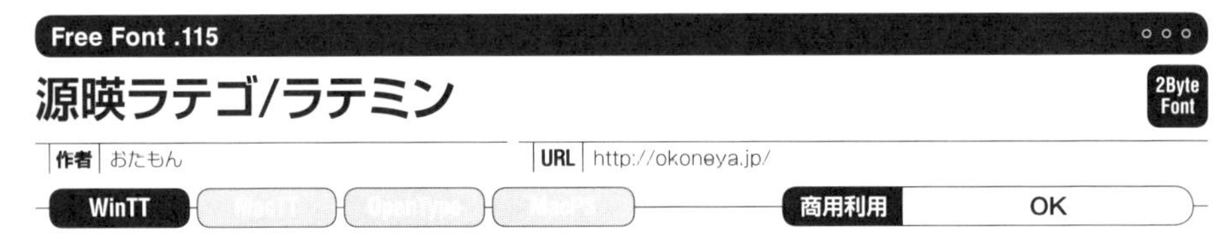

Free Font .115

源暎ラテゴ/ラテミン

2Byte Font

作者 おたもん ｜ URL http://okoneya.jp/

WinTT ｜ MacTT ｜ OpenType ｜ MacPS

商用利用 OK

日本の春夏秋冬　日本の春夏秋冬

あいうえお　かきくけこ　あいうえお　かきくけこ

タチツテト　ナニヌネノ　タチツテト　ナニヌネノ

ABCDEFGHIJKLMNOPQ　ABCDEFGHIJKLMNOPQ

1234567890　1234567890

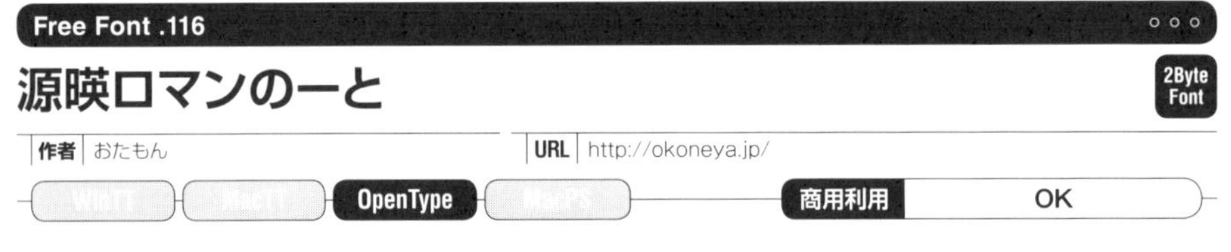

Free Font .116

源暎ロマンのーと

2Byte Font

作者 おたもん ｜ URL http://okoneya.jp/

WinTT ｜ MacTT ｜ OpenType ｜ MacPS

商用利用 OK

えれがんとW9にあうふぉんと

ABCDEFGHIJKLMNOPQRSTUVWXYZ

1234567890

※タイプラボの有料和文フォント「えれがんとW9」とセットで使用推奨の欧文フォントです
えれがんとW9試用版はコチラ：http://www.type-labo.jp/Hanpuelega

やさしさアンチック

春夏秋冬、四季の移ろい

あいうえお　かきくけこ　さしすせそ

タチツテト　ナニヌネノ　ハヒフヘホ

ABCDEFGHIJKLMNOPQRSTUVWXYZ

1234567890

ふぉんとうは怖い明朝体

春夏秋冬、四季の移ろい

あいうえお　かきくけこ　さしすせそ

タチツテト　ナニヌネノ　ハヒフヘホ

ABCDEFGHIJKLMNOPQRSTUVWXYZ

1234567890

ロゴたいぷゴシック

春夏秋冬、四季の移ろい

あいうえお　かきくけこ　さしすせそ

タチツテト　ナニヌネノ　ハヒフヘホ

ABCDEFGHIJKLMNOPQRSTUVWXYZ

1234567890

Free Font .120

ロゴたいぷゴシック - コンデンスド

2Byte Font

作者 fontな　URL http://www.fontna.com/

WinTT　MacTT　OpenType　MacPS　商用利用 OK

春夏秋冬、四季の移ろい

あいうえお　かきくけこ　さしすせそ

タチツテト　ナニヌネノ　ハヒフヘホ

ABCDEFGHIJKLMNOPQRSTUVWXYZ

1234567890

Free Font .121

やさしさゴシック

2Byte Font

作者 fontな　URL http://www.fontna.com/

WinTT　MacTT　OpenType　MacPS　商用利用 OK

春夏秋冬、四季の移ろい

あいうえお　かきくけこ　さしすせそ

タチツテト　ナニヌネノ　ハヒフヘホ

ABCDEFGHIJKLMNOPQRSTUVWXYZ

1234567890

Free Font .122

やさしさゴシックボールド

2Byte Font

作者 fontな　URL http://www.fontna.com/

WinTT　MacTT　OpenType　MacPS　商用利用 OK

春夏秋冬、四季の移ろい

あいうえお　かきくけこ　さしすせそ

タチツテト　ナニヌネノ　ハヒフヘホ

ABCDEFGHIJKLMNOPQRSTUVWXYZ

1234567890

Free Font .123

にくまるフォント

2Byte Font

作者 fontな

URL http://www.fontna.com/

WinTT MacTT OpenType MacPS

商用利用 OK

春夏秋冬、四季の移ろい

あいうえお　かきくけこ　さしすせそ

タチツテト　ナニヌネノ　ハヒフヘホ

ABCDEFGHIJKLMNOPQRSTUVWXYZ

1234567890

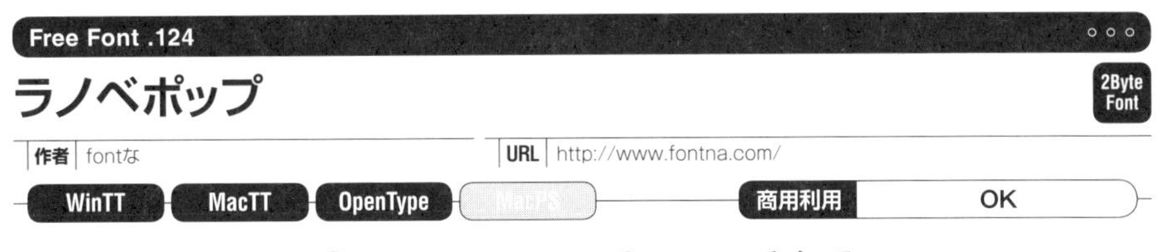

Free Font .124

ラノベポップ

2Byte Font

作者 fontな

URL http://www.fontna.com/

WinTT MacTT OpenType MacPS

商用利用 OK

春夏秋冬、四季の移ろい

あいうえお　かきくけこ　さしすせそ

タチツテト　ナニヌネノ　ハヒフヘホ

ABCDEFGHIJKLMNOPQRSTUVWXYZ

1234567890

Free Font .125

ニコモジ+

2Byte Font

作者 Ku-Ku

URL http://nicofont.pupu.jp/

WinTT MacTT OpenType MacPS

商用利用 OK

春夏秋冬、四季の移ろい

あいうえお　かきくけこ　さしすせそ

タチツテト　ナニヌネノ　ハヒフヘホ

ABCDEFGHIJKLMNOPQRSTUVWXYZ

1234567890

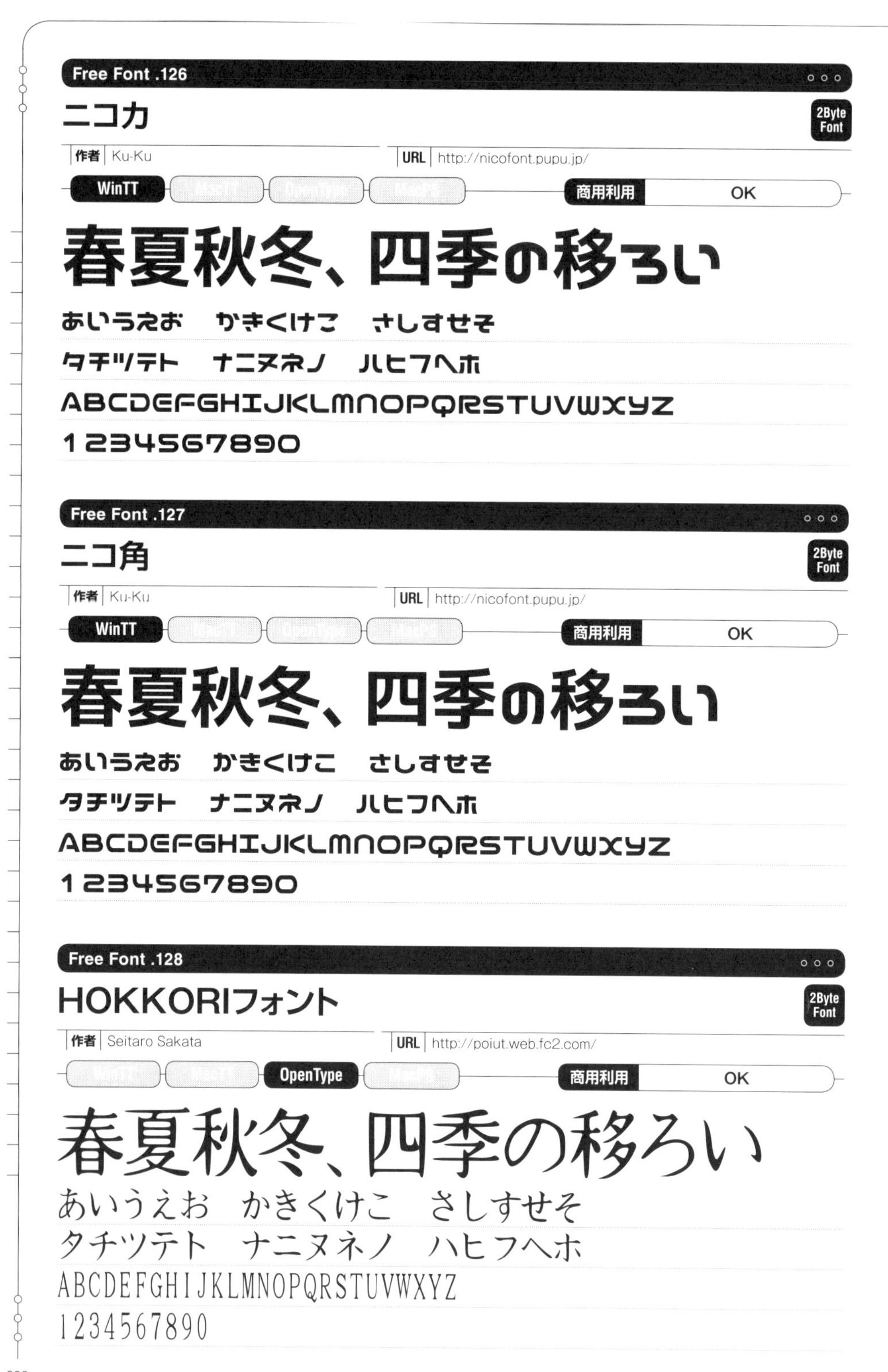

Free Font .126

ニコカ

2Byte Font

作者 Ku-Ku

URL http://nicofont.pupu.jp/

WinTT　MacTT　OpenType　MacPS

商用利用 OK

春夏秋冬、四季の移ろい

あいうえお　かきくけこ　さしすせそ

タチツテト　ナニヌネノ　ハヒフヘホ

ABCDEFGHIJKLMNOPQRSTUVWXYZ

1234567890

Free Font .127

ニコ角

2Byte Font

作者 Ku-Ku

URL http://nicofont.pupu.jp/

WinTT　MacTT　OpenType　MacPS

商用利用 OK

春夏秋冬、四季の移ろい

あいうえお　かきくけこ　さしすせそ

タチツテト　ナニヌネノ　ハヒフヘホ

ABCDEFGHIJKLMNOPQRSTUVWXYZ

1234567890

Free Font .128

HOKKORIフォント

2Byte Font

作者 Seitaro Sakata

URL http://poiut.web.fc2.com/

WinTT　MacTT　OpenType　MacPS

商用利用 OK

春夏秋冬、四季の移ろい

あいうえお　かきくけこ　さしすせそ

タチツテト　ナニヌネノ　ハヒフヘホ

ABCDEFGHIJKLMNOPQRSTUVWXYZ

1234567890

Free Font .129

Nemukeフォント

2Byte Font

作者 Seitaro Sakata　URL http://poiut.web.fc2.com/

WinTT　MacTT　OpenType　MacPS　商用利用 OK

春夏秋冬、四季の移ろい

あいうえお　かきくけこ　さしすせそ

タチツテト　ナニヌネノ　ハヒフヘホ

ABCDEFGHIJKLMNOPQRSTUVWXYZ

1234567890

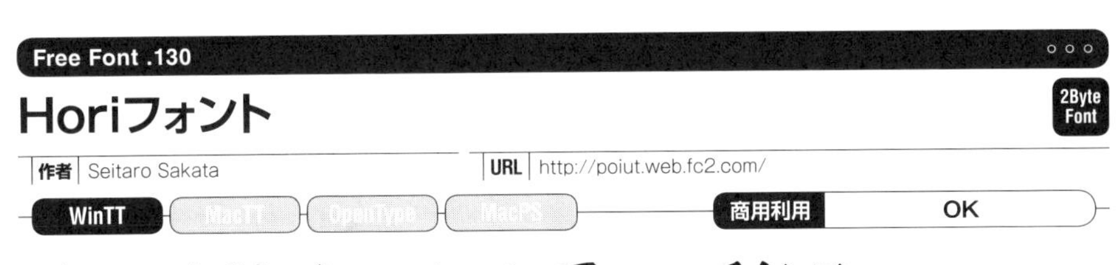

Free Font .130

Horiフォント

2Byte Font

作者 Seitaro Sakata　URL http://poiut.web.fc2.com/

WinTT　MacTT　OpenType　MacPS　商用利用 OK

春夏秋冬、四季の移ろい

あいうえお　かきくけこ　さしすせそ

タチツテト　ナニヌネノ　ハヒフヘホ

ABCDEFGHIJKLMNOPQRSTUVWXYZ

1234567890

Free Font .131

昔々フォント

2Byte Font

作者 Gomarice Font　URL http://gomaricefont.web.fc2.com

WinTT　MacTT　OpenType　MacPS　商用利用 OK

春夏秋冬、四季の移ろい

あいうえお　かきくけこ　さしすせそ

タチツテト　ナニヌネノ　ハヒフヘホ

ABCDEFGHIJKLMNOPQRSTUVWXYZ

1234567890

Free Font .132

かなりあmini

2Byte Font

作者 ヤマナカデザインワークス

URL http://ymnk-design.com

WinTT MacTT OpenType MacPS

商用利用 不可(同人活動OK)

休日に花火を見に出かける

あいうえお かきくけこ さしすせそ

タチツテト ナニヌネノ ハヒフヘホ

mini

一二三四五六七八九十 右雨円王音下貝学気玉金空

Free Font .133

バナナスリップ

2Byte Font

作者 ヤマナカデザインワークス

URL http://ymnk-design.com

WinTT MacTT OpenType MacPS

商用利用 OK

春夏秋冬、四季の移ろい

あいうえお かきくけこ さしすせそ

タチツテト ナニヌネノ ハヒフヘホ

ABCDEFGHIJKLMNOPQRSTUVWXYZ

1234567890

Free Font .134

ぱぐのみんちょmini

2Byte Font

作者 ヤマナカデザインワークス

URL http://ymnk-design.com

WinTT MacTT OpenType MacPS

商用利用 不可(同人活動OK)

休日に花火を見に出かける

あいうえお かきくけこ さしすせそ

タチツテト ナニヌネノ ハヒフヘホ

PUGMINMINI pugmin mini

一二三四五六七八九十 右雨円王音下貝学気玉金空

休日に花火を見に出かける

あいうえお　かきくけこ　さしすせそ

タチツテト　ナニヌネノ　ハヒフヘホ

MINI　mini

一二三四五六七八九十　右雨円王音下貝学気玉金空

春夏秋冬、四季の移ろい

あいうえお　かきくけこ　さしすせそ

タチツテト　ナニヌネノ　ハヒフヘホ

一二三四五六七八九十

右雨円王音下貝学気玉金空

春夏秋冬、四季の移ろい

あいうえお　かきくけこ　さしすせそ

タチツテト　ナニヌネノ　ハヒフヘホ

ABCDEFGHIJKLMNOPQRSTUVWXYZ

1234567890

Free Font .138

黒薔薇シンデレラ

2Byte Font

作者 MODI（モーディー）工場

URL http://modi.jpn.org

WinTT MacTT OpenType MacPS

商用利用 OK

春夏秋冬、四季の移ろい

あいうえお　かきくけこ　さしすせそ

タチツテト　ナニヌネノ　ハヒフヘホ

ABCDEFGHIJKLMNOPQRSTUVWXYZ

1234567890

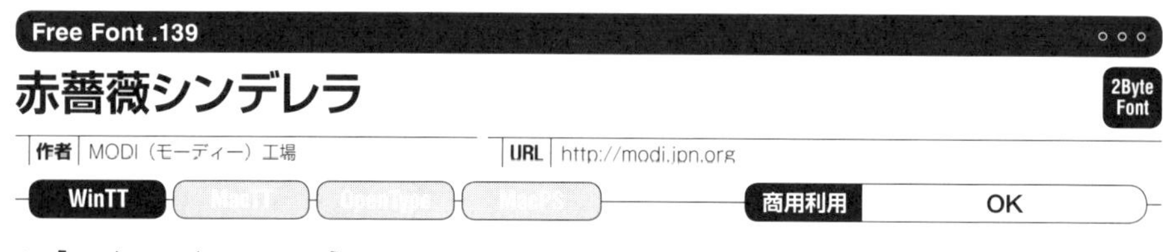

Free Font .139

赤薔薇シンデレラ

2Byte Font

作者 MODI（モーディー）工場

URL http://modi.jpn.org

WinTT MacTT OpenType MacPS

商用利用 OK

春夏秋冬、四季の移ろい

あいうえお　かきくけこ　さしすせそ

タチツテト　ナニヌネノ　ハヒフヘホ

ABCDEFGHIJKLMNOPQRSTUVWXYZ

1234567890

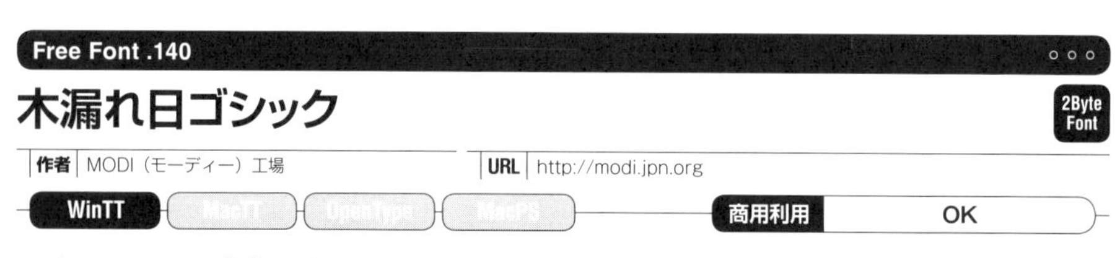

Free Font .140

木漏れ日ゴシック

2Byte Font

作者 MODI（モーディー）工場

URL http://modi.jpn.org

WinTT MacTT OpenType MacPS

商用利用 OK

春夏秋冬、四季の移ろい

あいうえお　かきくけこ　さしすせそ

タチツテト　ナニヌネノ　ハヒフヘホ

ABCDEFGHIJKLMNOPQRSTUVWXYZ

1234567890

Free Font .141

タイムマシンわ号

2Byte Font

作者 MODI（モーディー）工場

URL http://modi.jpn.org

WinTT MacTT OpenType MacPS

商用利用 OK

春夏秋冬、四季の移ろい

あいうえお かきくけこ さしすせそ

タチツテト ナニヌネノ ハヒフヘホ

ABCDEFGHIJKLMNOPQRSTUVWXYZ

1234567890

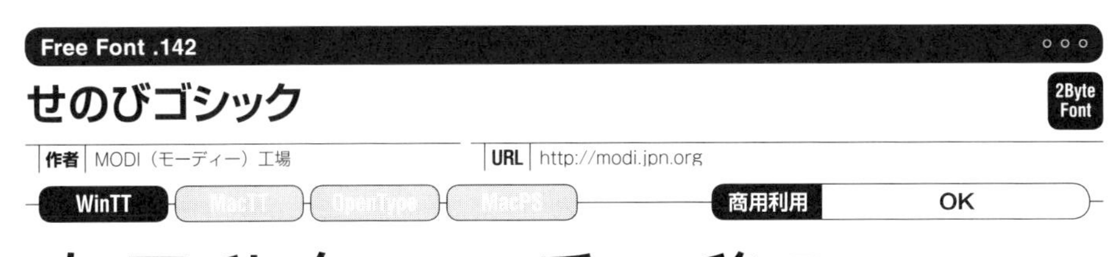

Free Font .142

せのびゴシック

2Byte Font

作者 MODI（モーディー）工場

URL http://modi.jpn.org

WinTT MacTT OpenType MacPS

商用利用 OK

春夏秋冬、四季の移ろい

あいうえお かきくけこ さしすせそ

タチツテト ナニヌネノ ハヒフヘホ

ABCDEFGHIJKLMNOPQRSTUVWXYZ

1234567890

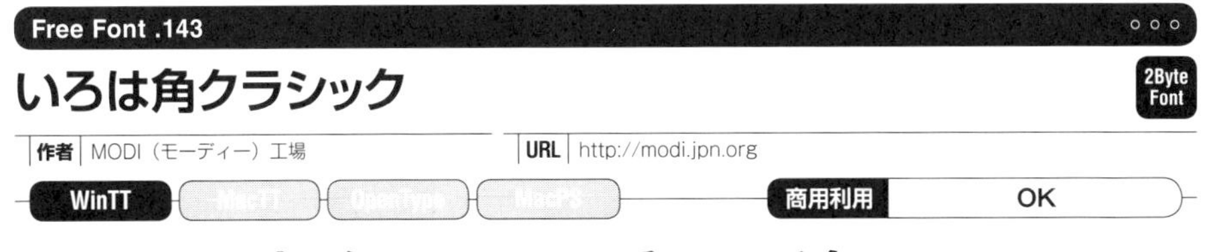

Free Font .143

いろは角クラシック

2Byte Font

作者 MODI（モーディー）工場

URL http://modi.jpn.org

WinTT MacTT OpenType MacPS

商用利用 OK

春夏秋冬、四季の移ろい

あいうえお かきくけこ さしすせそ

タチツテト ナニヌネノ ハヒフヘホ

ABCDEFGHIJKLMNOPQRSTUVWXYZ

1234567890

Free Font .144

いろはマル

2Byte Font

作者 MODI（モーディー）工場

URL http://modi.jpn.org

WinTT MacTT OpenType MacPS

商用利用 OK

春夏秋冬、四季の移ろい

あいうえお　かきくけこ　さしすせそ

タチツテト　ナニヌネノ　ハヒフヘホ

ABCDEFGHIJKLMNOPQRSTUVWXYZ

1234567890

Free Font .145

いろはマル みかみ

2Byte Font

作者 MODI（モーディー）工場

URL http://modi.jpn.org

WinTT MacTT OpenType MacPS

商用利用 OK

春夏秋冬、四季の移ろい

あいうえお　かきくけこ　さしすせそ

タチツテト　ナニヌネノ　ハヒフヘホ

ABCDEFGHIJKLMNOPQRSTUVWXYZ

1234567890

Free Font .146

無心

2Byte Font

作者 MODI（モーディー）工場

URL http://modi.jpn.org

WinTT MacTT OpenType MacPS

商用利用 OK

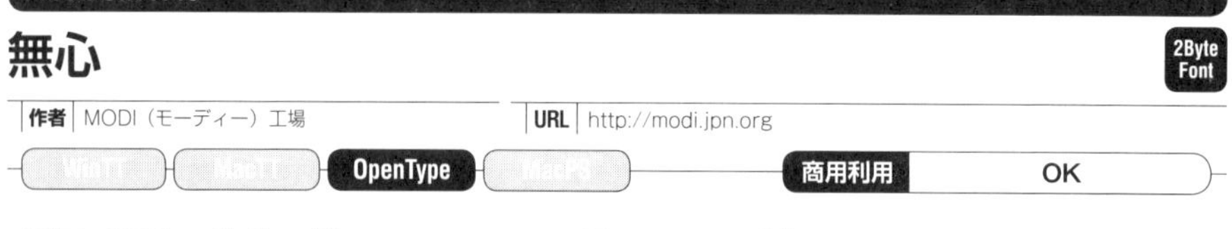

春夏秋冬、四季の移ろい

あいうえお　かきくけこ　さしすせそ

タチツテト　ナニヌネノ　ハヒフヘホ

ABCDEFGHIJKLMNOPQRSTUVWXYZ

1234567890

Free Font .147

超極細ゴシック体

2Byte Font

作者 Line Font

URL http://font.websozai.jp/index.html

WinTT / MacTT / OpenType / MacPS

商用利用 OK

春夏秋冬、四季の移ろい

あいうえお　かきくけこ　さしすせそ

タチツテト　ナニヌネノ　ハヒフヘホ

ABCDEFGHIJKLMNOPQRSTUVWXYZ

1234567890

Free Font .148

なごみ極細ゴシック

2Byte Font

作者 Line Font

URL http://font.websozai.jp/index.html

WinTT / MacTT / OpenType / MacPS

商用利用 OK

春夏秋冬、四季の移ろい

あいうえお　かきくけこ　さしすせそ

タチツテト　ナニヌネノ　ハヒフヘホ

ABCDEFGHIJKLMNOPQRSTUVWXYZ

1234567890

Free Font .149

しっぽり明朝v2

2Byte Font

作者 只野凡字

URL https://fontdasu.com

WinTT / MacTT / OpenType / MacPS

商用利用 OK

春夏秋冬、四季の移ろい

あいうえお　かきくけこ　さしすせそ

タチツテト　ナニヌネノ　ハヒフヘホ

ABCDEFGHIJKLMNOPQRSTUVWXYZ

1234567890

Free Font .150

しっぽりアンチック

2Byte Font

作者 只野凡字 | URL https://fontdasu.com

OpenType | 商用利用 OK

春夏秋冬、四季の移ろい
あいうえお　かきくけこ　さしすせそ
タチツテト　ナニヌネノ　ハヒフヘホ
ABCDEFGHIJKLMNOPQRSTUVWXYZ
1234567890

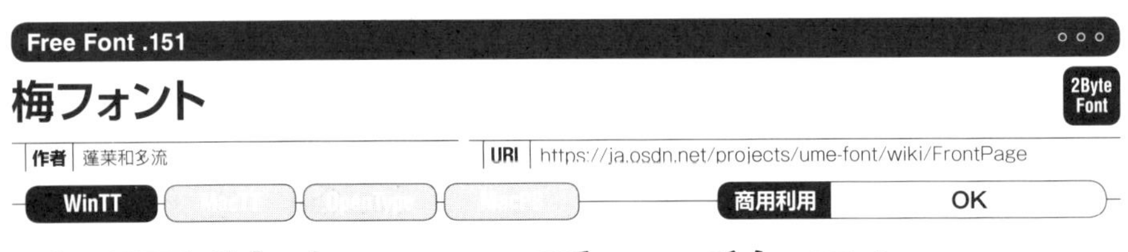

Free Font .151

梅フォント

2Byte Font

作者 蓬莱和多流 | URL https://ja.osdn.net/projects/ume-font/wiki/FrontPage

WinTT | 商用利用 OK

春夏秋冬、四季の移ろい
あいうえお　かきくけこ　さしすせそ
タチツテト　ナニヌネノ　ハヒフヘホ
ABCDEFGHIJKLMNOPQRSTUVWXYZ
1234567890

Free Font .152

コーポレート明朝

2Byte Font

作者 logotype.jp | URL https://logotype.jp

WinTT | 商用利用 OK

春夏秋冬、四季の移ろい
あいうえお　かきくけこ　さしすせそ
タチツテト　ナニヌネノ　ハヒフヘホ
ABCDEFGHIJKLMNOPQRSTUVWXYZ
1234567890

Free Font .153

コーポレート・ロゴ

2Byte Font

作者 logotype.jp　URL https://logotype.jp

WinTT　MacTT　OpenType　MacPS　商用利用 OK

春夏秋冬、四季の移ろい

あいうえお　かきくけこ　さしすせそ

タチツテト　ナニヌネノ　ハヒフヘホ

ABCDEFGHIJKLMNOPQRSTUVWXYZ

1234567890

Free Font .154

コーポレート・ロゴ(ラウンド)

2Byte Font

作者 logotype.jp　URL https://logotype.jp

WinTT　MacTT　OpenType　MacPS　商用利用 OK

春夏秋冬、四季の移ろい

あいうえお　かきくけこ　さしすせそ

タチツテト　ナニヌネノ　ハヒフヘホ

ABCDEFGHIJKLMNOPQRSTUVWXYZ

1234567890

Free Font .155

Cinecapation

2Byte Font

作者 chiphead　URL http://chiphead.jp/

WinTT　MacTT　OpenType　MacPS　商用利用 要事前連絡

春夏秋冬、四季の移ろい

あいうえお　かきくけこ　さしすせそ

タチツテト　ナニヌネノ　ハヒフヘホ

ABCDEFGHIJKLMNOPQRSTUVWXYZ

1234567890

Free Font .156

かんなな

2Byte Font

作者 dwuk/イソガキカズノリ　URL http://www.dwuk.jp/

WinTT　MacTT　OpenType　MacPS　商用利用 要事前連絡

きせつのうつろい

あいうえお　かきくけこ　さしすせそ
たちつてと　なにぬねの　はひふへほ
アイウエオ　カキクケコ　サシスセソ
タチツテト　ナニヌネノ　ハヒフヘホ

Free Font .157

DBストレート12

Bitmap Font　2Byte Font

作者 dwuk/イソガキカズノリ　URL http://www.dwuk.jp/

WinTT　MacTT　OpenType　MacPS　商用利用 要事前連絡

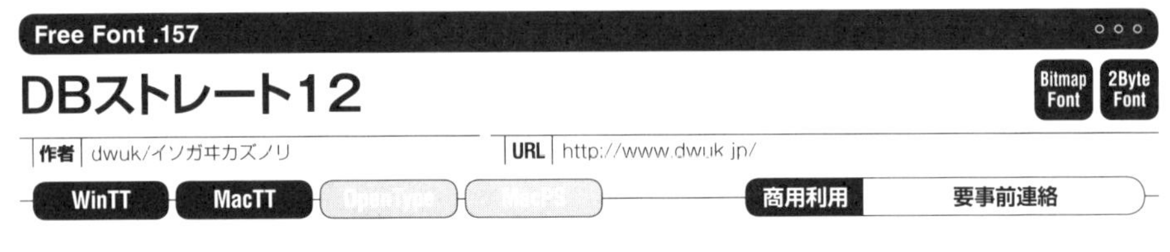

あいうえお　かきくけこ　さしすせそ
タチツテト　ナニヌネノ　ハヒフヘホ
ABCDEFGHIJKLMNOPQRSTUVWXYZ
1234567890

Free Font .158

こころフォント

2Byte Font

作者 rain-road (rina)　URL http://rain-road.com/

WinTT　MacTT　OpenType　MacPS　商用利用 要事前連絡

あいうえお　かきくけこ　さしすせそ
タチツテト　ナニヌネノ　ハヒフヘホ
ABCDEFGHIJKLMNOPQRSTUVWXYZ
1234567890

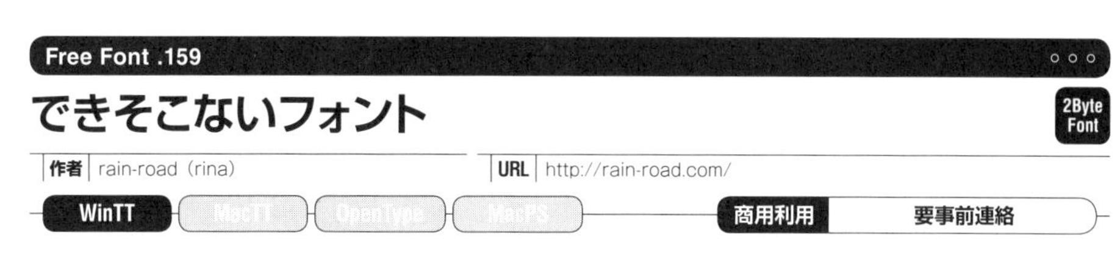

Free Font .159

できそこないフォント

2Byte Font

作者 rain-road（rina）

URL http://rain-road.com/

WinTT MacTT OpenType MacPS

商用利用 要事前連絡

きせつのうつろい

あいうえお　かきくけこ　さしすせそ

タチツテト　ナニヌネノ　ハヒフヘホ

ABCDEFGHIJKLMNOPQRSTUVWXYZ

1234567890

Free Font .160

Hiran-Kanan

2Byte Font

作者 矢萩多聞

URL http://tamon.in/

WinTT MacTT OpenType MacPS

商用利用 OK

きせつのうつろい

あいうえお　かきくけこ　さしすせそ

たちつてと　なにぬねの　はひふへほ

アイウエオ　カキクケコ　サシスセソ

タチツテト　ナニヌネノ　ハヒフヘ

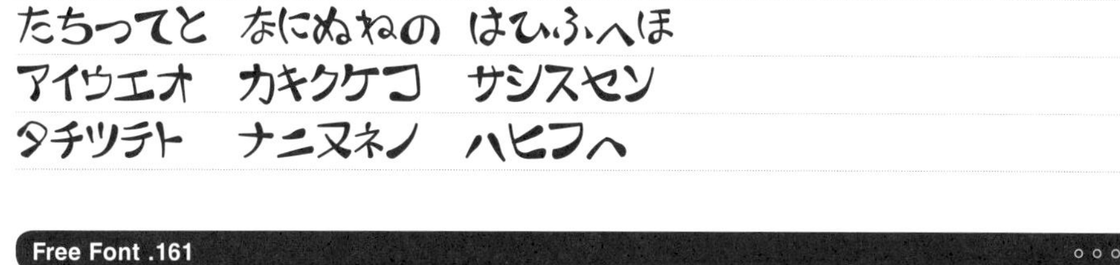

Free Font .161

Barrel

1Byte Font

作者 WEIGHT LESSNESS GRAPHICS/Tadahara Ohtsuki

URL http://www.h2.dion.ne.jp/~wlg/

WinTT MacTT OpenType MacPS

商用利用 要事前連絡

きせつのうつろい

あいうえお　かきくけこ　さしすせそ

タチツテト　ナニヌネノ　ハヒフヘホ

ABCDEFGHIJKLMNOPQRSTUVWXYZ

1234567890

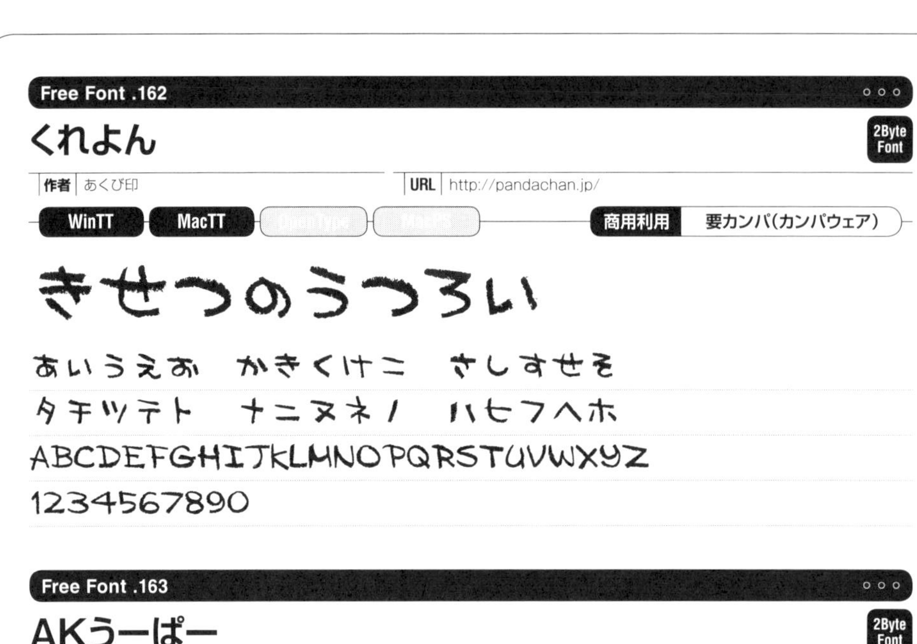

Free Font .162

くれよん

2Byte Font

作者 あくび印 | URL http://pandachan.jp/

WinTT / MacTT / OpenType / MacPS

商用利用 要カンパ(カンパウェア)

きせつのうつろい

あいうえお かきくけこ さしすせそ

タチツテト ナニヌネノ ハヒフヘホ

ABCDEFGHIJKLMNOPQRSTUVWXYZ

1234567890

Free Font .163

AKうーぱー

2Byte Font

作者 あくび印 | URL http://pandachan.jp/

WinTT / MacTT / OpenType / MacPS

商用利用 要カンパ(カンパウェア)

きせつのうつろい

あいうえお かきくけこ さしすせそ

タチツテト ナニヌネノ ハヒフヘホ

ABCDEFGHIJKLMNOPQRSTUVWXYZ

1234567890

Free Font .164

AKるーぱー

2Byte Font

作者 あくび印 | URL http://pandachan.jp/

WinTT / MacTT / OpenType / MacPS

商用利用 要カンパ(カンパウェア)

きせつのうつろい

あいうえお かきくけこ さしすせそ

タチツテト ナニヌネノ ハヒフヘホ

ABCDEFGHIJKLMNOPQRSTUVWXYZ

1234567890

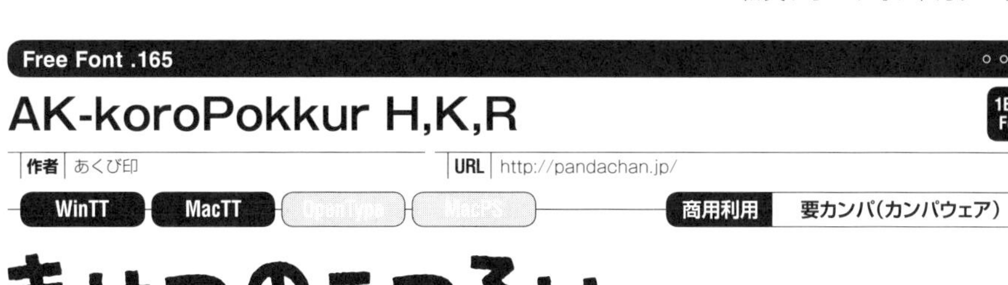

Free Font .165

AK-koroPokkur H,K,R

1Byte Font

作者 あくびわ　URL http://pandachan.jp/

WinTT MacTT OpenType MacPS　商用利用 要カンパ(カンパウェア)

きせつのうつろい

あいうえお かきくけこ さしすせそ

タチツテト ナニヌネノ ハヒフヘホ

ABCDEFGHIJKLMNOPQRSTUVWXYZ

1234567890

Free Font .166

AK-koroBokkur H,K,R

1Byte Font

作者 あくびわ　URL http://pandachan.jp/

WinTT MacTT OpenType MacPS　商用利用 要カンパ(カンパウェア)

きせつのうつろい

あいうえお かきくけこ さしすせそ

タチツテト ナニヌネノ ハヒフヘホ

ABCDEFGHIJKLMNOPQRSTUVWXYZ

1234567890

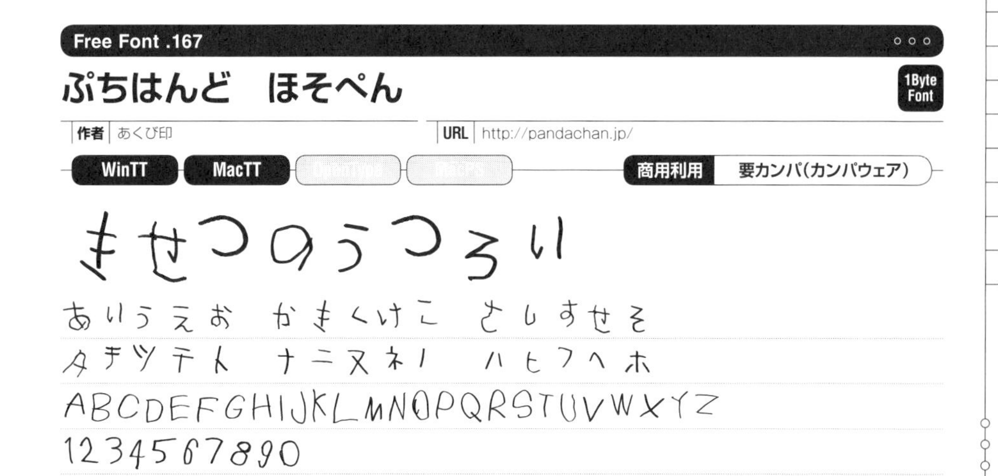

Free Font .167

ぷちはんど　ほそぺん

1Byte Font

作者 あくびわ　URL http://pandachan.jp/

WinTT MacTT OpenType MacPS　商用利用 要カンパ(カンパウェア)

きせつのうつろい

あいうえお かきくけこ さしすせそ

タチツテト ナニヌネノ ハヒフヘホ

ABCDEFGHIJKLMNOPQRSTUVWXYZ

1234567890

Free Font .168

デ字

2Byte Font

作者 きゃきらん | URL http://bakafonts.kyakirun.com

WinTT / MacTT / OpenType / MacPS — 商用利用 OK

きせつのうつろい

あいうえお かきくけこ さしすせそ

タチツテト ナニヌネノ ハヒフヘホ

ABCDEFGHIJKLMNOPQRSTUVWXYZ

1234567890

Free Font .169

みみず

2Byte Font

作者 きゃきらん | URL http://bakafonts.kyakirun.com

WinTT / MacTT / OpenType / MacPS — 商用利用 OK

きせつのうつろい

あいうえお かきくけこ さしすせそ

タチツテト ナニヌネノ ハヒフヘホ

A C D E F G H I J K L M N O P Q R S T U V W X YZ

1 2 3 4 5 6 7 8 9 0

Free Font .170

チバラキ　ナウ

2Byte Font

作者 きゃきらん | URL http://bakafonts.kyakirun.com

WinTT / MacTT / OpenType / MacPS — 商用利用 OK

きせつのうつろい

あいうえお かきくけこ さしすせそ

タチツテト ナニヌネノ ハヒフヘホ

ABCDEFGHIJKLMNOPQRSTUVWXYZ

1234567890

きせつのうつろい

あいうえお　かきくけこ　さしすせそ

タチツテト　ナニヌネノ　ハヒフヘホ

ABCDEFGHIJKLMNOPQRSTUVWXYZ

1234567890

きせつのうつろい

あいうえお　かきくけこ　さしすせそ

タチツテト　ナニヌネノ　ハヒフヘホ

ABCDEFGHIJKLMNOPQRSTUVWXYZ

1234567890

きせつのうつろい

あいうえお　かきくけこ　さしすせそ

タチツテト　ナニヌネノ　ハヒフヘホ

ABCDEFGHIJKLMNOPQRSTUVWXYZ

1234567890

Free Font .174
ラヴラヴ
2Byte Font
作者 きゃきらん
URL http://bakafonts.kyakirun.com
WinTT
OpenType
商用利用 OK
きせつのうつろい
あいうえお かきくけこ さしすせそ
タチツテト ナニヌネノ ハヒフヘホ
ABCDEFGHIJKLMNOPQRSTUVWXYZ
1234567890
Free Font .175
TrueType Colleciton Font No.001
2Byte Font
作者 井上デザイン・井上優
URL http://idfont.jp/
WinTT
商用利用 OK
きせつのうつろい
あいうえお かきくけこ さしすせそ
たちつてと なにぬねの はひふへほ
アイウエオ カキクケコ サシスセソ
タチツテト ナニヌネノ ハヒフヘホ
Free Font .176
TrueType Colleciton Font No.002
2Byte Font
作者 井上デザイン・井上優
URL http://idfont.jp/
WinTT
商用利用 OK
きせつのうつろい
あいうえお かきくけこ さしすせそ
たちつてと なにぬねの はひふへほ
アイウエオ カキクケコ サシスセソ
タチツテト ナニヌネノ ハヒフヘホ

Free Font .177

TrueType Colleciton Font No.003

2Byte Font

作者 井上デザイン・井上優　URL http://idfont.jp/

WinTT　MacTT　OpenType　MacPS　商用利用 OK

きせつのうつろい

あいうえお　かきくけこ　さしすせそ
たちつてと　なにぬねの　はひふへほ
アイウエオ　カキクケコ　サシスセソ
タチツテト　ナニヌネノ　ハヒフヘホ

Free Font .178

TrueType Colleciton Font No.004

2Byte Font

作者 井上デザイン・井上優　URL http://idfont.jp/

WinTT　MacTT　OpenType　MacPS　商用利用 OK

きせつのうつろい

あいうえお　かきくけこ　さしすせそ
たちつてと　なにぬねの　はひふへほ
アイウエオ　カキクケコ　サシスセソ
タチツテト　ナニヌネノ　ハヒフヘホ

Free Font .179

TrueType Colleciton Font No.007

2Byte Font

作者 井上デザイン・井上優　URL http://idfont.jp/

WinTT　MacTT　OpenType　MacPS　商用利用 OK

キセツノウツロイ

アイウエオ　カキクケコ　サシスセソ
タチツテト　ナニヌネノ　ハヒフヘホ
マミムメモ　ヤ　ユ　ヨ　ラリルレロ
ワ　ヲ　ン

Free Font .180

TrueType Colleciton Font No.010

2Byte Font

作者 井上デザイン・井上優　URL http://idfont.jp/

WinTT MacTT OpenType MacPS　商用利用 OK

きせつのうつろい

あいうえお　かきくけこ　さしすせそ
たちつてと　なにぬねの　はひふへほ
アイウエオ　カキクケコ　サシスセソ
タチツテト　ナニヌネノ　ハヒフヘホ

Free Font .181

TrueType Colleciton Font No.011

2Byte Font

作者 井上デザイン・井上優　URL http://idfont.jp/

WinTT MacTT OpenType MacPS　商用利用 OK

きせつのうつろい

あいうえお　かきくけこ　さしすせそ
たちつてと　なにぬねの　はひふへほ
アイウエオ　カキクケコ　サシスセソ
タチツテト　ナニヌネノ　ハヒフヘホ

Free Font .182

TrueType Colleciton Font No.013

2Byte Font

作者 井上デザイン・井上優　URL http://idfont.jp/

WinTT MacTT OpenType MacPS　商用利用 OK

きせつのうつろい

あいうえお　かきくけこ　さしすせそ
たちつてと　なにぬねの　はひふへほ
アイウエオ　カキクケコ　サシスセソ
タチツテト　ナニヌネノ　ハヒフヘホ

Free Font .183

TrueType Colleciton Font No.014

2Byte Font

作者 井上デザイン・井上優　URL http://idfont.jp/

WinTT MacTT OpenType MacPS　商用利用 OK

きせつのうつろい

あいうえお かきくけこ さしすせそ
たちつてと なにぬねの はひふへほ
アイウエオ カキクケコ サシスセソ
タチツテト ナニヌネノ ハヒフヘホ

Free Font .184

TrueType Colleciton Font No.015

2Byte Font

作者 井上デザイン・井上優　URL http://idfont.jp/

WinTT MacTT OpenType MacPS　商用利用 OK

きせつのうつろい

あいうえお かきくけこ さしすせそ
たちつてと なにぬねの はひふへほ
アイウエオ カキクケコ サシスセソ
タチツテト ナニヌネノ ハヒフヘホ

Free Font .185

TrueType Colleciton Font No.016

2Byte Font

作者 井上デザイン・井上優　URL http://idfont.jp/

WinTT MacTT OpenType MacPS　商用利用 OK

きせつのうつろい

あいうえお かきくけこ さしすせそ
たちつてと なにぬねの はひふへほ
アイウエオ カキクケコ サシスセソ
タチツテト ナニヌネノ ハヒフヘホ

Free Font .186
TrueType Colleciton Font No.019
2Byte Font
作者 井上デザイン・井上優
URL http://idfont.jp/
WinTT
MacTT
OpenType
MacPS
商用利用 OK
きせつのうつろい
あいうえお かきくけこ さしすせそ
たちつてと なにぬねの はひふへほ
アイウエオ カキクケコ サシスセソ
タチツテト ナニヌネノ ハヒフヘホ
Free Font .187
TrueType Colleciton Font No.023
2Byte Font
作者 井上デザイン・井上優
URL http://idfont.jp/
WinTT
MacTT
OpenType
MacPS
商用利用 OK
きせつのうつろい
あいうえお かきくけこ さしすせそ
たちつてと なにぬねの はひふへほ
アイウエオ カキクケコ サシスセソ
タチツテト ナニヌネノ ハヒフヘホ
Free Font .188
TrueType Colleciton Font No.024
2Byte Font
作者 井上デザイン・井上優
URL http://idfont.jp/
WinTT
MacTT
OpenType
MacPS
商用利用 OK
きせつのうつろい
あいうえお かきくけこ さしすせそ
たちつてと なにぬねの はひふへほ
アイウエオ カキクケコ サシスセソ
タチツテト ナニヌネノ ハヒフヘホ

Free Font .189

TrueType Colleciton Font No.025

2Byte Font

作者 井上デザイン・井上優 URL http://idfont.jp/

WinTT MacTT OpenType MacPS 商用利用 OK

きせつのうつろい

あいうえお かきくけこ さしすせそ
たちつてと なにぬねの はひふへほ
アイウエオ カキクケコ サシスセソ
タチツテト ナニヌネノ ハヒフヘホ

Free Font .190

TrueType Colleciton Font No.026

2Byte Font

作者 井上デザイン・井上優 URL http://idfont.jp/

WinTT MacTT OpenType MacPS 商用利用 OK

きせつのうつろい

あいうえお かきくけこ さしすせそ
たちつてと なにぬねの はひふへほ
アイウエオ カキクケコ サシスセソ
タチツテト ナニヌネノ ハヒフヘホ

Free Font .191

TrueType Colleciton Font No.027

2Byte Font

作者 井上デザイン・井上優 URL http://idfont.jp/

WinTT MacTT OpenType MacPS 商用利用 OK

きせつのうつろい

あいうえお かきくけこ さしすせそ
たちつてと なにぬねの はひふへほ
アイウエオ カキクケコ サシスセソ
タチツテト ナニヌネノ ハヒフヘホ

Free Font .192

TrueType Colleciton Font No.028

2Byte Font

作者 井上デザイン・井上優　URL http://idfont.jp/

WinTT　MacTT　OpenType　MacPS　商用利用 OK

きせつのうつろい

あいうえお　かきくけこ　さしすせそ
たちつてと　なにぬねの　はひふへほ
アイウエオ　カキクケコ　サシスセソ
タチツテト　ナニヌネノ　ハヒフヘホ

Free Font .193

TrueType Colleciton Font No.029

2Byte Font

作者 井上デザイン・井上優　URL http://idfont.jp/

WinTT　MacTT　OpenType　MacPS　商用利用 OK

きせつのうつろい

あいうえお　かきくけこ　さしすせそ
たちつてと　なにぬねの　はひふへほ
アイウエオ　カキクケコ　サシスセソ
タチツテト　ナニヌネノ　ハヒフヘホ

Free Font .194

にくきゅう

2Byte Font

作者 鈴木るいち　URL http://honya.nyanta.jp/

WinTT　MacTT　OpenType　MacPS　商用利用 要カンパ(カンパウェア)

きせつのうつろい

あいうえお　かきくけこ　さしすせそ
タチツテト　ナニヌネノ　ハヒフヘホ
ABCDEFGHIJKLMNOPQRSTUVWXYZ
1234567890

Free Font .195

もじゃじ

2Byte Font

作者 鈴木るいち

URL http://honya.nyanta.jp/

WinTT MacTT OpenType MacPS

商用利用 要カンパ(カンパウェア)

きせつのうつろい

あいうえお かきくけこ さしすせそ
たちつてと なにぬねの はひふへほ
アイウエオ カキクケコ サシスセソ
タチツテト ナニヌネノ ハヒフヘホ

Free Font .196

はらませにゃんこ

2Byte Font

作者 稲塚春

URL http://inatsuka.com/

WinTT MacTT OpenType MacPS

商用利用 OK

日本の四きをたのしむ

あいうえお かきくけこ さしすせそ
たちつてと なにぬねの はひふへほ
アイウエオ カキクケコ サシスセソ
タチツテト ナニヌネノ ハヒフヘホ

Free Font .197

はらませにゃんこ まるみ

2Byte Font

作者 稲塚春

URL http://inatsuka.com/

WinTT MacTT OpenType MacPS

商用利用 OK

日本の四きをたのしむ

あいうえお かきくけこ さしすせそ
たちつてと なにぬねの はひふへほ
アイウエオ カキクケコ サシスセソ
タチツテト ナニヌネノ ハヒフヘホ

Free Font .198

アンニャントロマン

2Byte Font

作者 稲塚春

URL http://inatsuka.com/

WinTT MacTT OpenType MacPS

商用利用 OK

きせつのうつろい

あいうえお かきくけこ さしすせそ

タチツテト ナニヌネノ ハヒフヘホ

ABCDEFGHIJKLMNOPQRSTUVWXYZ

1234567890

Free Font .199

築竹假名

2Byte Font

作者 築竹

URL http://font.karpan.net/

WinTT MacTT OpenType MacPS

商用利用 OK

きせつのうつろい

あいうえお かきくけこ さしすせそ

たちつてと なにぬねの はひふへほ

アイウエオ カキクケコ サシスセソ

タチツテト ナニヌネノ ハヒフヘホ

Free Font .200

築竹假名當世風

2Byte Font

作者 築竹

URL http://font.karpan.net/

WinTT MacTT OpenType MacPS

商用利用 OK

きせつのうつろい

あいうえお かきくけこ さしすせそ

たちつてと なにぬねの はひふへほ

アイウエオ カキクケコ サシスセソ

タチツテト ナニヌネノ ハヒフヘホ

Free Font .201

あずきフォント

2Byte Font

作者 日向梓

URL http://azukifont.com/

WinTT MacTT OpenType MacPS

商用利用 要事前連絡

春夏秋冬、四季の移ろい

あいうえお　かきくけこ　さしすせそ

タチツテト　ナニヌネノ　ハヒフヘホ

ABCDEFGHIJKLMNOPQRSTUVWXYZ

1234567890

Free Font .202

うずらフォント

2Byte Font

作者 日向梓

URL http://azukifont.com/

WinTT MacTT OpenType MacPS

商用利用 要事前連絡

春夏秋冬、四季の移ろい

あいうえお　かきくけこ　さしすせそ

タチツテト　ナニヌネノ　ハヒフヘホ

ABCDEFGHIJKLMNOPQRSTUVWXYZ

1234567890

Free Font .203

GL-築地初号

2Byte Font

作者 Gutenberg Labo

URL http://gutenberg.osdn.jp/

WinTT MacTT OpenType MacPS

商用利用 OK

きせつのうつろい

あいうゐゑ　かきくけこ　さしすせそ

たちつてと　なにぬねの　はひふへほ

アイウエオ　カキクケコ　サシスセソ

タチツテト　ナニヌネノ　ハヒフヘホ

Free Font .204

GL-築地二号

2Byte Font

作者 Gutenberg Labo

URL http://gutenberg.osdn.jp/

WinTT / MacTT / OpenType / MacPS

商用利用 OK

きせつのうつろい

あいうえお　かきくけこ　さしすせそ
たちつてと　なにぬねの　はひふへほ
アイウエオ　カキクケコ　サシスセソ
タチツテト　ナニヌネノ　ハヒフヘホ

Free Font .205

GL-築地三号

2Byte Font

作者 Gutenberg Labo

URL http://gutenberg.osdn.jp/

WinTT / MacTT / OpenType / MacPS

商用利用 OK

きせつのうつろい

あいうえお　かきくけこ　さしすせそ
たちつてと　なにぬねの　はひふへほ
アイウエオ　カキクケコ　サシスセソ
タチツテト　ナニヌネノ　ハヒフヘホ

Free Font .206

GL-築地四号

2Byte Font

作者 Gutenberg Labo

URL http://gutenberg.osdn.jp/

WinTT / MacTT / OpenType / MacPS

商用利用 OK

きせつのうつろい

あいうえお　かきくけこ　さしすせそ
たちつてと　なにぬねの　はひふへほ
アイウエオ　カキクケコ　サシスセソ
タチツテト　ナニヌネノ　ハヒフヘホ

Free Font .207
GL-MahjongTile
2Byte Font
作者 Gutenberg Labo
URL http://gutenberg.osdn.jp/
WinTT
MacTT
OpenType
MacPS
商用利用 OK
Free Font .208
ププmini
2Byte Font
作者 ヤマナカデザインワークス
URL http://ymnk-design.com
WinTT
MacTT
OpenType
MacPS
商用利用 OK
きせつのうつろい
あいうえお かきくけこ さしすせそ
たちつてと なにぬねの はひふへほ
アイウエオ カキクケコ サシスセソ
タチツテト ナニヌネノ ハヒフヘホ
Free Font .209
めもわーる
2Byte Font
作者 MODI（モーディー）工場
URL http://modi.jpn.org
WinTT
MacTT
OpenType
MacPS
商用利用 OK
きせつのうつろい
あいうえお かきくけこ さしすせそ
タチツテト ナニヌネノ ハヒフヘホ
ABCDEFGHIJKLMNOPQRSTUVWXYZ
1234567890

Free Font .210

めもわーる　しかく

2Byte Font

作者 MODI（モーディー）工場

URL http://modi.jpn.org

WinTT MacTT OpenType MacPS 商用利用 OK

きせつのうつろい

あいうえお　かきくけこ　さしすせそ

タチツテト　ナニヌネノ　ハヒフヘホ

ABCDEFGHIJKLMNOPQRSTUVWXYZ

1234567890

Free Font .211

めもわーる　まる

2Byte Font

作者 MODI（モーディー）工場

URL http://modi.jpn.org

WinTT MacTT OpenType MacPS 商用利用 OK

きせつのうつろい

あいうえお　かきくけこ　さしすせそ

タチツテト　ナニヌネノ　ハヒフヘホ

ABCDEFGHIJKLMNOPQRSTUVWXYZ

1234567890

Free Font .212

まなびや　さくら

2Byte Font

作者 MODI（モーディー）工場

URL http://modi.jpn.org

WinTT MacTT OpenType MacPS 商用利用 OK

きせつのうつろい

あいうえお　かきくけこ　さしすせそ

たちつてと　なにぬねの　はひふへほ

アイウエオ　カキクケコ　サシスセソ

タチツテト　ナニヌネノ　ハヒフヘホ

Free Font .213

まなびや　いちょう

2Byte Font

作者 MODI（モーディー）工場　URL http://modi.jpn.org

WinTT　MacTT　OpenType　MacPS　商用利用 OK

きせつのうつろい

あいうえお　かきくけこ　さしすせそ
たちつてと　なにぬねの　はひふへほ
アイウエオ　カキクケコ　サシスセソ
タチツテト　ナニヌネノ　ハヒフヘホ

Free Font .214

いろはモチ

2Byte Font

作者 MODI（モーディー）工場　URL http://modi.jpn.org

WinTT　MacTT　OpenType　MacPS　商用利用 OK

きせつのうつろい

あいうえお　かきくけこ　さしすせそ
たちつてと　なにぬねの　はひふへほ
アイウエオ　カキクケコ　サシスセソ
タチツテト　ナニヌネノ　ハヒフヘホ

Free Font .215

シンデレラ

2Byte Font

作者 MODI（モーディー）工場　URL http://modi.jpn.org

WinTT　MacTT　OpenType　MacPS　商用利用 OK

きせつのうつろい

あいうえお　かきくけこ　さしすせそ
たちつてと　なにぬねの　はひふへほ
アイウエオ　カキクケコ　サシスセソ
タチツテト　ナニヌネノ　ハヒフヘホ

Free Font .216

しあさって

2Byte Font

作者 MODI（モーディー）工場

URL http://modi.jpn.org

WinTT MacTT OpenType MacPS

商用利用 OK

きせつのうつろい

あいうえお かきくけこ さしすせそ
たちつてと なにぬねの はひふへほ
アイウエオ カキクケコ サシスセソ
タチツテト ナニヌネノ ハヒフヘホ

Free Font .217

ひずみんかな

2Byte Font

作者 MODI（モーディー）工場

URL http://modi.jpn.org

WinTT MacTT OpenType MacPS

商用利用 OK

きせつのうつろい

あいうえお かきくけこ さしすせそ
たちつてと なにぬねの はひふへほ
アイウエオ カキクケコ サシスセソ
タチツテト ナニヌネノ ハヒフヘホ

Free Font .218

はなはた

2Byte Font

作者 dwuk/イソガヰカズノリ

URL http://www.dwuk.jp/

WinTT MacTT OpenType MacPS

商用利用 要事前連絡

きせつのうつろい

あいうえお かきくけこ さしすせそ
たちつてと なにぬねの はひふへほ
まみむめも や ゆ よ らりるれろ
わ を ん

Free Font .219

あやせ

2Byte Font

作者 dwuk/イソガヰカズノリ　URL http://www.dwuk.jp/

WinTT MacTT OpenType MacPS　商用利用 要事前連絡

きせつのうつろい

あいうえお　かきくけこ　さしすせそ
たちつてと　なにぬねの　はひふへほ
アイウエオ　カキクケコ　サシスセソ
タチツテト　ナニヌネノ　ハヒフヘホ

Free Font .220

とねり

2Byte Font

作者 dwuk/イソガヰカズノリ　URL http://www.dwuk.jp/

WinTT MacTT OpenType MacPS　商用利用 要事前連絡

きせつのうつろい

あいうえお　かきくけこ　さしすせそ
たちつてと　なにぬねの　はひふへほ
アイウエオ　カキクケコ　サシスセソ
タチツテト　ナニヌネノ　ハヒフヘホ

Free Font .221

IKれんめんちっく

2Byte Font

作者 dwuk/イソガヰカズノリ　URL http://www.dwuk.jp/

WinTT MacTT OpenType MacPS　商用利用 要事前連絡

きせつのうつろい

あいうえお　かきくけこ　さしすせそ
たちつてと　なにぬねの　はひふへほ
まみむめも　や　ゆ　よ　らりるれろ
わ　を　ん

いろはにほへと

※縦書きにするとつながります

Free Font .222

しろうさぎ

1Byte Font

作者 Graphic Arts Unit/高橋としゆき

URL http://www.graphicartsunit.com/gaupra/

WinTT　MacTT　MacPS

商用利用 OK（一部ケースは要確認）

きせつのうつろい

あいうえお　かきくけこ　さしすせそ
たちつてと　なにぬねの　はひふへほ
まみむめも　や　ゆ　よ　らりるれろ
わ　を　ん

Free Font .223

たんぽぽ

1Byte Font

作者 Graphic Arts Unit/高橋としゆき

URL http://www.graphicartsunit.com/gaupra/

WinTT　MacTT　MacPS

商用利用 OK（一部ケースは要確認）

きせつのうつろい

あいうえお　かきくけこ　さしすせそ
たちつてと　なにぬねの　はひふへほ
まみむめも　や　ゆ　よ　らりるれろ
わ　を　ん

Free Font .224

ケーキなスイーツ

2Byte Font

作者 jirou

URL http://net2.system.to/pc/

WinTT

商用利用 要事前連絡

きせつのうつろい

あいうえお　かきくけこ　さしすせそ
たちつてと　なにぬねの　はひふへほ
まみむめも　や　ゆ　よ　らりるれろ
わ　を　ん

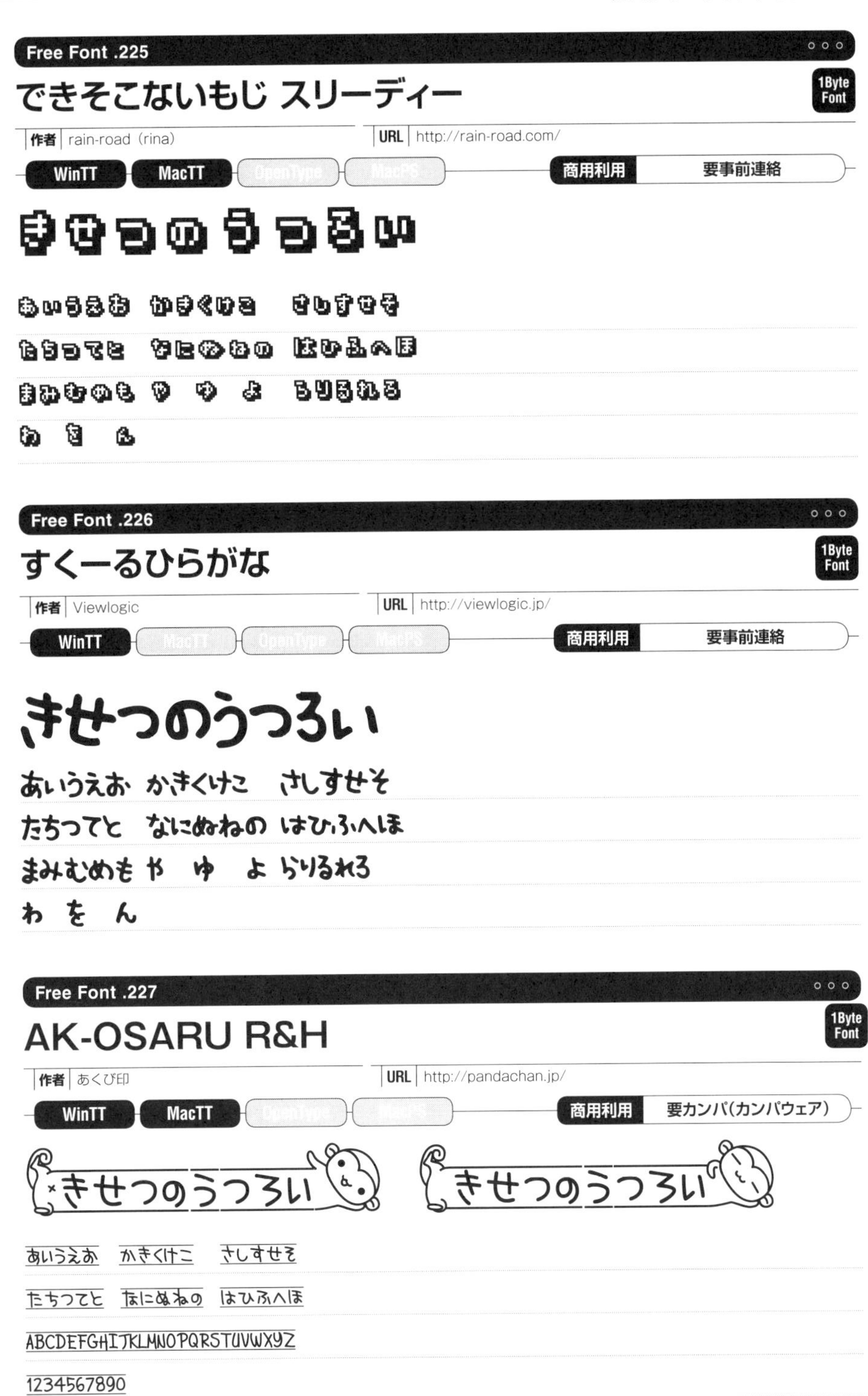

Free Font .225

できそこないもじ スリーディー

1Byte Font

作者 rain-road (rina)

URL http://rain-road.com/

WinTT MacTT OpenType MacPS

商用利用 要事前連絡

きせつのうつろい

あいうえお かきくけこ さしすせそ

たちつてと なにぬねの はひふへほ

まみむめも や ゆ よ らりるれろ

わ を ん

Free Font .226

すくーるひらがな

1Byte Font

作者 Viewlogic

URL http://viewlogic.jp/

WinTT MacTT OpenType MacPS

商用利用 要事前連絡

きせつのうつろい

あいうえお かきくけこ さしすせそ

たちつてと なにぬねの はひふへほ

まみむめも や ゆ よ らりるれろ

わ を ん

Free Font .227

AK-OSARU R&H

1Byte Font

作者 あくび印

URL http://pandachan.jp/

WinTT MacTT OpenType MacPS

商用利用 要カンパ(カンパウェア)

きせつのうつろい きせつのうつろい

あいうえお かきくけこ さしすせそ

たちつてと なにぬねの はひふへほ

ABCDEFGHIJKLMNOPQRSTUVWXYZ

1234567890

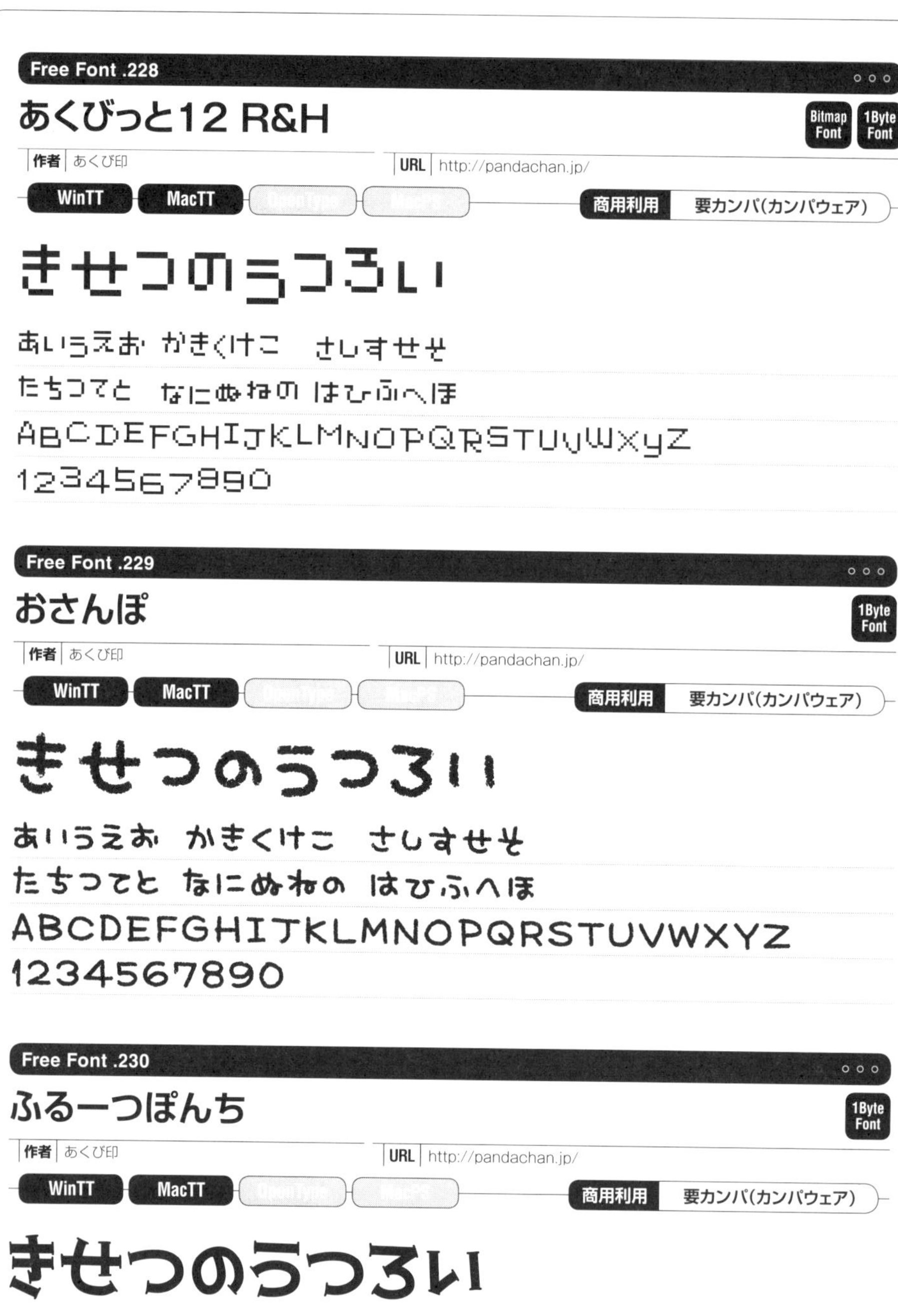

Free Font .228

あくびっと12 R&H

Bitmap Font　1Byte Font

作者 あくび印　URL http://pandachan.jp/

WinTT　MacTT　OpenType　MacPS　商用利用 要カンパ(カンパウェア)

きせつのうつろい

あいうえお かきくけこ さしすせそ
たちつてと なにぬねの はひふへほ
ABCDEFGHIJKLMNOPQRSTUVWXYZ
1234567890

Free Font .229

おさんぽ

1Byte Font

作者 あくび印　URL http://pandachan.jp/

WinTT　MacTT　OpenType　MacPS　商用利用 要カンパ(カンパウェア)

きせつのうつろい

あいうえお かきくけこ さしすせそ
たちつてと なにぬねの はひふへほ
ABCDEFGHIJKLMNOPQRSTUVWXYZ
1234567890

Free Font .230

ふるーつぽんち

1Byte Font

作者 あくび印　URL http://pandachan.jp/

WinTT　MacTT　OpenType　MacPS　商用利用 要カンパ(カンパウェア)

きせつのうつろい

あいうえお かきくけこ さしすせそ
たちつてと なにぬねの はひふへほ
ABCDEFGHIJKLMNOPQRSTUVWXYZ
1234567890

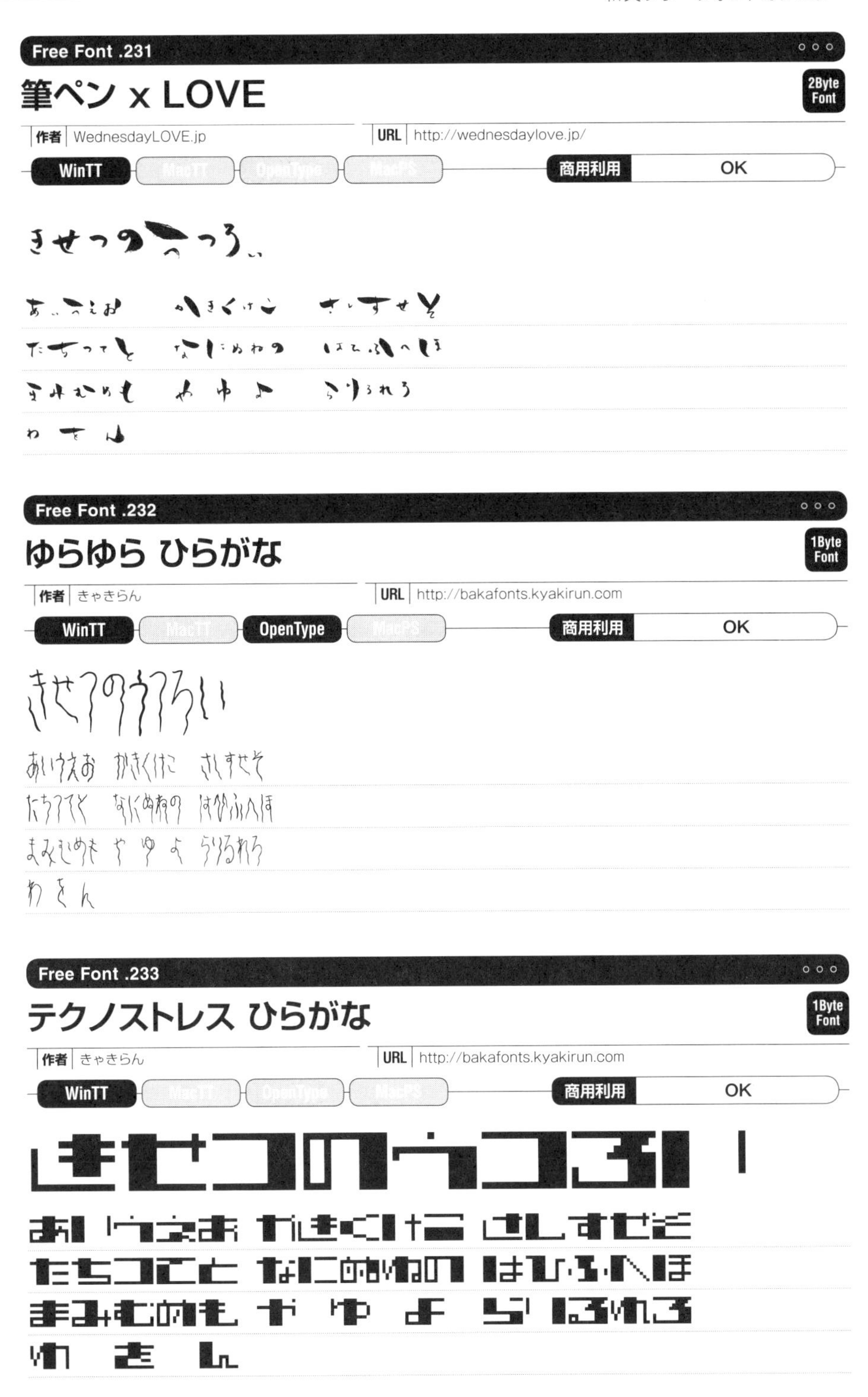
Free Font .231
筆ペン x LOVE
2Byte Font
作者 WednesdayLOVE.jp
URL http://wednesdaylove.jp/
WinTT
商用利用 OK
Free Font .232
ゆらゆら ひらがな
1Byte Font
作者 きゃきらん
URL http://bakafonts.kyakirun.com
WinTT
OpenType
商用利用 OK
Free Font .233
テクノストレス ひらがな
1Byte Font
作者 きゃきらん
URL http://bakafonts.kyakirun.com
WinTT
商用利用 OK

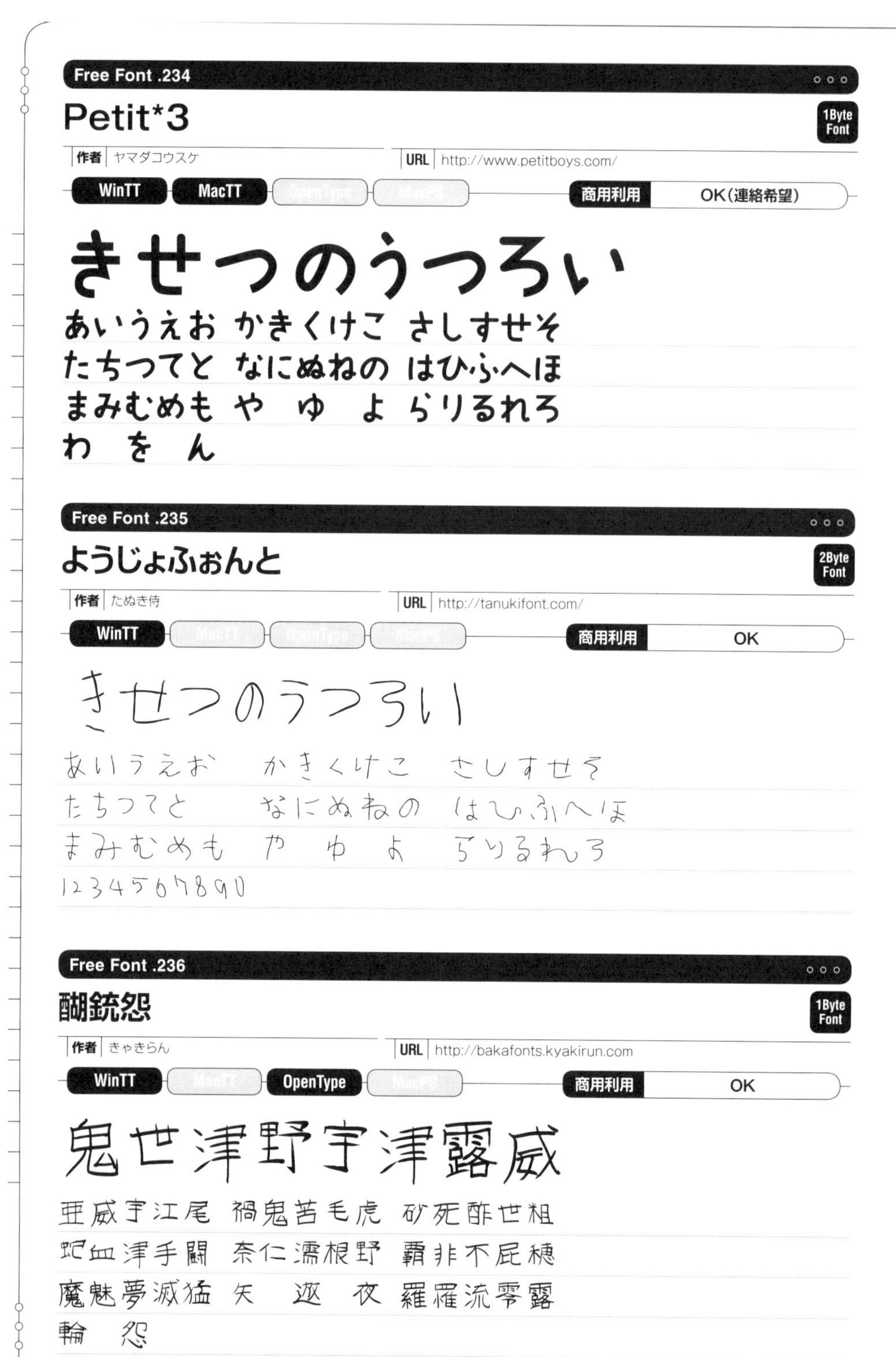

Free Font .234

Petit*3

1Byte Font

作者 ヤマダコウスケ

URL http://www.petitboys.com/

WinTT / MacTT / OpenType / MacPS

商用利用 OK(連絡希望)

きせつのうつろい

あいうえお かきくけこ さしすせそ
たちつてと なにぬねの はひふへほ
まみむめも や ゆ よ らりるれろ
わ を ん

Free Font .235

ようじょふぉんと

2Byte Font

作者 たぬき侍

URL http://tanukifont.com/

WinTT / MacTT / OpenType / MacPS

商用利用 OK

きせつのうつろい

あいうえお かきくけこ さしすせそ
たちつてと なにぬねの はひふへほ
まみむめも や ゆ よ らりるれろ
1234567890

Free Font .236

醐銃怨

1Byte Font

作者 きゃきらん

URL http://bakafonts.kyakirun.com

WinTT / MacTT / OpenType / MacPS

商用利用 OK

鬼世津野宇津露威

亜威宇江尾 禍鬼苦毛虎 砂死酢世祖
蛇血津手闘 奈仁濡根野 覇非不屁穂
魔魅夢滅猛 矢 遊 夜 羅罹流零露
輪 怨

Free Font .237

marinfont2

2Byte Font

作者 オオモリ　URL http://www.geocities.jp/mild4128/

WinTT　MacTT　OpenType　MacPS　商用利用 要事前連絡

Free Font .238

mildfont

2Byte Font

作者 オオモリ　URL http://www.geocities.jp/mild4128/

WinTT　MacTT　OpenType　MacPS　商用利用 要事前連絡

Free Font .239

lightfont

2Byte Font

作者 オオモリ　URL http://www.geocities.jp/mild4128/

WinTT　MacTT　OpenType　MacPS　商用利用 要事前連絡

Free Font .240

bitfontJ

2Byte Font

作者	オオモリ
URL	http://www.geocities.jp/mild4128/

WinTT　MacTT　OpenType　MacPS

商用利用　要事前連絡

キセツノウツロイ

アイウエオ　カキクケコ　サシスセソ

タチツテト　ナニヌネノ　ハヒフヘホ

ABCDEFGHIJKLMNOPQRSTUVWXYZ

1234567890

Free Font .241

オオザカイ

2Byte Font

作者	dwuk/イソガキカズノリ
URL	http://www.dwuk.jp/

WinTT　MacTT　OpenType　MacPS

商用利用　要事前連絡

キセツノウツロイ

アイウエオ　カキクケコ　サシスセソ

タチツテト　ナニヌネノ　ハヒフヘホ

マミムメモ　ヤ　ユ　ヨ　ラリルレロ

ワ　ヲ　ン

Free Font .242

アオイカク

2Byte Font

作者	dwuk/イソガキカズノリ
URL	http://www.dwuk.jp/

WinTT　MacTT　OpenType　MacPS

商用利用　要事前連絡

キセツノウツロイ

アイウエオ　カキクケコ　サシスセソ

タチツテト　ナニヌネノ　ハヒフヘホ

マミムメモ　ヤ　ユ　ヨ　ラリルレロ

ワ　ヲ　ン

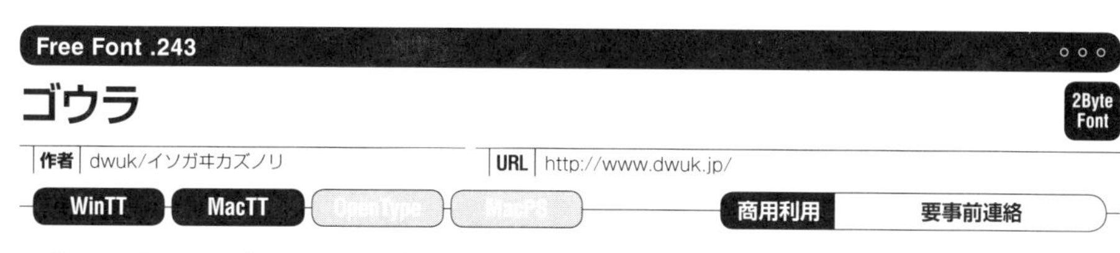

Free Font .243

ゴウラ

2Byte Font

作者 dwuk/イソガキカズノリ　URL http://www.dwuk.jp/

WinTT　MacTT　OpenType　MacPS　商用利用 要事前連絡

キセツノウツロイ

アイウエオ　カキクケコ　サシスセソ
タチツテト　ナニヌネノ　ハヒフヘホ
マミムメモ　ヤ ユ ヨ　ラリルレロ
ワ ヲ ン

Free Font .244

マダラ

2Byte Font

作者 dwuk/イソガキカズノリ　URL http://www.dwuk.jp/

WinTT　MacTT　OpenType　MacPS　商用利用 要事前連絡

キセツノウツロイ

アイウエオ　カキクケコ　サシスセソ
タチツテト　ナニヌネノ　ハヒフヘホ
マミムメモ　ヤ ユ ヨ　ラリルレロ
ワ ヲ ン

Free Font .245

モトギ

2Byte Font

作者 dwuk/イソガキカズノリ　URL http://www.dwuk.jp/

WinTT　MacTT　OpenType　MacPS　商用利用 要事前連絡

キセツノウツロイ

アイウエオ　カキクケコ　サシスセソ
タチツテト　ナニヌネノ　ハヒフヘホ
マミムメモ　ヤ ユ ヨ　ラリルレロ
ワ ヲ ン

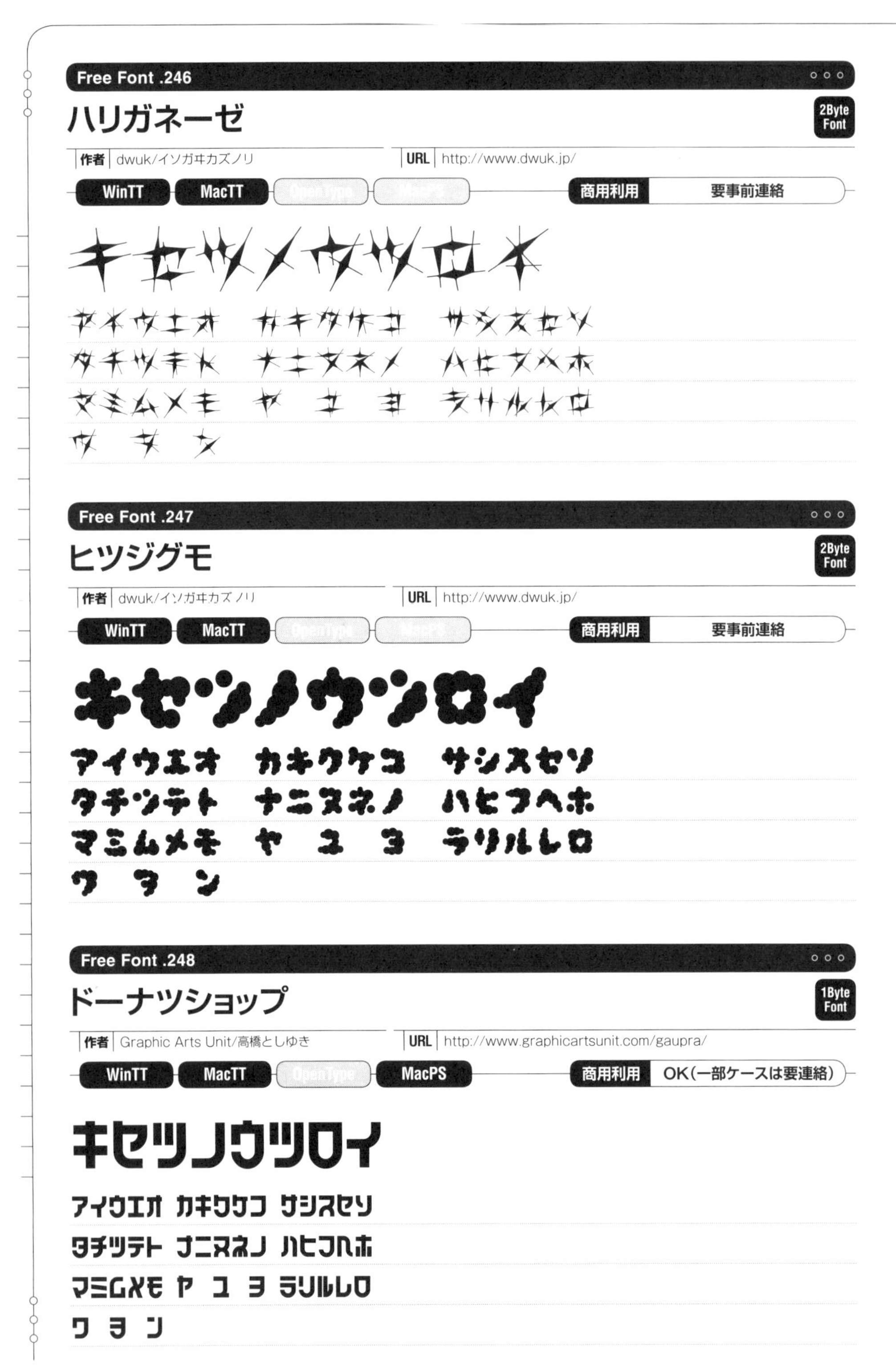

Free Font .246

ハリガネーゼ

2Byte Font

作者 dwuk/イソガキカズノリ

URL http://www.dwuk.jp/

WinTT / MacTT

商用利用 要事前連絡

キセツノウツロイ

アイウエオ カキクケコ サシスセソ
タチツテト ナニヌネノ ハヒフヘホ
マミムメモ ヤ ユ ヨ ラリルレロ
ワ ヲ ン

Free Font .247

ヒツジグモ

2Byte Font

作者 dwuk/イソガキカズノリ

URL http://www.dwuk.jp/

WinTT / MacTT

商用利用 要事前連絡

キセツノウツロイ

アイウエオ カキクケコ サシスセソ
タチツテト ナニヌネノ ハヒフヘホ
マミムメモ ヤ ユ ヨ ラリルレロ
ワ ヲ ン

Free Font .248

ドーナツショップ

1Byte Font

作者 Graphic Arts Unit/高橋としゆき

URL http://www.graphicartsunit.com/gaupra/

WinTT / MacTT / MacPS

商用利用 OK(一部ケースは要連絡)

キセツノウツロイ

アイウエオ カキクケコ サシスセソ
タチツテト ナニヌネノ ハヒフヘホ
マミムメモ ヤ ユ ヨ ラリルレロ
ワ ヲ ン

Free Font .249

カリン91

作者 Graphic Arts Unit/高橋としゆき

URL http://www.graphicartsunit.com/gaupra/

WinTT MacTT OpenType MacPS

商用利用 OK(一部ケースは要連絡)

キセツノウツロイ

アイウエオ カキクケコ サシスセソ
タチツテト ナニヌネノ ハヒフヘホ
マミムメモ ヤ ユ ヨ ラリルレロ
ワ ヲ ン

Free Font .250

リフレッシュ

作者 Graphic Arts Unit/高橋としゆき

URL http://www.graphicartsunit.com/gaupra/

WinTT MacTT OpenType MacPS

商用利用 OK(一部ケースは要連絡)

キセツノウツロイ

アイウエオ カキクケコ サシスセソ
タチツテト ナニヌネノ ハヒフヘホ
マミムメモ ヤ ユ ヨ ラリルレロ
ワ ヲ ン

Free Font .251

リラックス

1Byte Font

作者 Graphic Arts Unit/高橋としゆき

URL http://www.graphicartsunit.com/gaupra/

WinTT MacTT OpenType MacPS

商用利用 OK(一部ケースは要連絡)

キセツノウツロイ

アイウエオ カキクケコ サシスセソ
タチツテト ナニヌネノ ハヒフヘホ
マミムメモ ヤ ユ ヨ ラリルレロ
ワ ヲ ン

Free Font .252

アトミック

1Byte Font

作者 Graphic Arts Unit/高橋としゆき

URL http://www.graphicartsunit.com/gaupra/

WinTT MacTT OpenType MacPS

商用利用 OK(一部ケースは要連絡)

キセツノウツロイ

アイウエオ カキクケコ サシスセソ
タチツテト ナニヌネノ ハヒフヘホ
マミムメモ ヤ ユ ヨ ラリルレロ
ワ ヲ ン

Free Font .253

カナ0816

1Byte Font

作者 Graphic Arts Unit/高橋としゆき

URL http://www.graphicartsunit.com/gaupra/

WinTT MacTT OpenType MacPS

商用利用 OK(一部ケースは要確認)

キセツノウツロイ

アイウエオ カキクケコ サシスセソ
タチツテト ナニヌネノ ハヒフヘホ
マミムメモ ヤ ユ ヨ ラリルレロ
ワ ヲ ン

Free Font .254

クサナギ

1Byte Font

作者 Graphic Arts Unit/高橋としゆき

URL http://www.graphicartsunit.com/gaupra/

WinTT MacTT OpenType MacPS

商用利用 OK(一部ケースは要確認)

キセツノウツロイ

アイウエオ カキクケコ サシスセソ
タチツテト ナニヌネノ ハヒフヘホ
マミムメモ ヤ ユ ヨ ラリルレロ
ワ ヲ ン

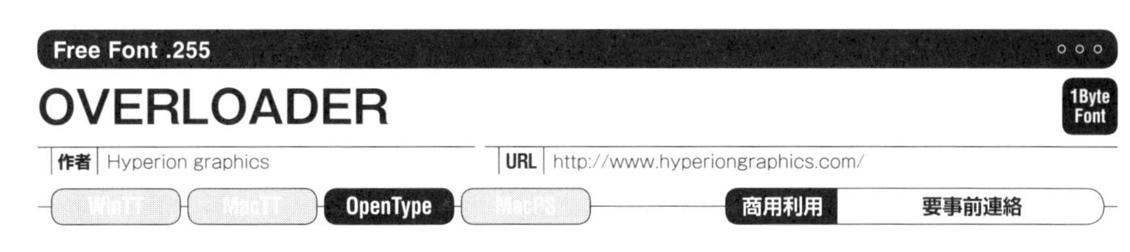

Free Font .255

OVERLOADER

1Byte Font

作者 Hyperion graphics | URL http://www.hyperiongraphics.com/

WinTT MacTT OpenType MacPS　商用利用 要事前連絡

キセツノウツロイ

アイウエオ カキクケコ サシスセソ
タチツテト ナニヌネノ ハヒフヘホ
マミムメモ ヤ ユ ヨ ラリルレロ
ワ ヲ ン

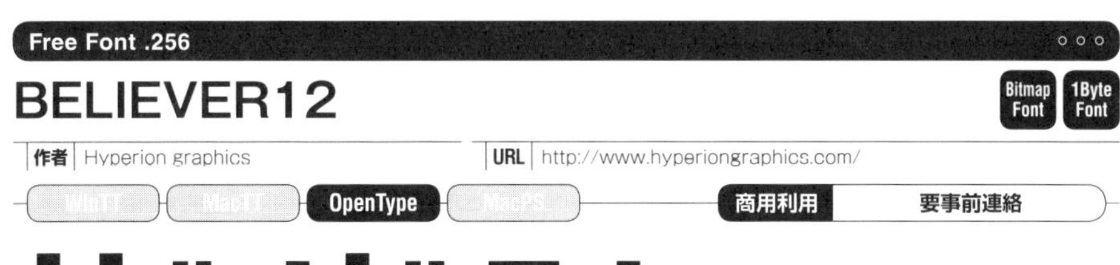

Free Font .256

BELIEVER12

Bitmap Font　1Byte Font

作者 Hyperion graphics | URL http://www.hyperiongraphics.com/

WinTT MacTT OpenType MacPS　商用利用 要事前連絡

キセツノウツロイ

アイウエオ カキクケコ サシスセソ
タチツテト ナニヌネノ ハヒフヘホ
ABCDEFGHIJKLMNOPQRSTUVWXYZ
1234567890

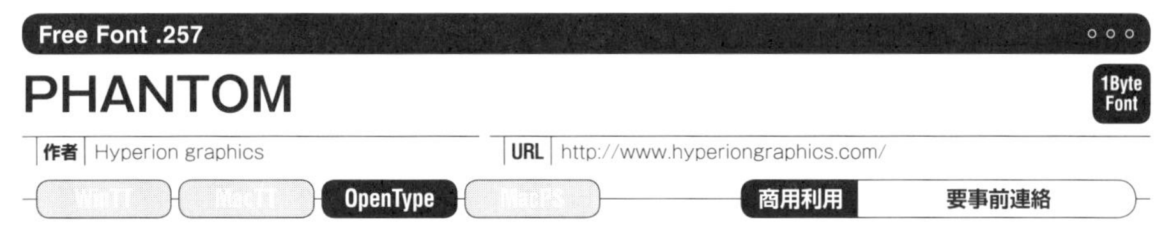

Free Font .257

PHANTOM

1Byte Font

作者 Hyperion graphics | URL http://www.hyperiongraphics.com/

WinTT MacTT OpenType MacPS　商用利用 要事前連絡

キセツノウツロイ

アイウエオ カキクケコ サシスセソ
タチツテト ナニヌネノ ハヒフヘホ
ABCDEFGHIJKLMNOPQRSTUVWXYZ
1234567890

Free Font .258

CONTROLLER-demo

1Byte Font

作者 Hyperion graphics
URL http://www.hyperiongraphics.com/

WinTT MacTT OpenType MacPS 商用利用 要事前連絡

キセツノウツロイ

アイウエオ カキクケコ サシスセソ

タチツテト ナニヌネノ ハヒフヘホ

マミムメモ ヤ ユ ヨ ラリルレロ

ワ ヲ ン

Free Font .259

MIRAGE

1Byte Font

作者 Hyperion graphics
URL http://www.hyperiongraphics.com/

WinTT MacTT OpenType MacPS 商用利用 要事前連絡

キセツノウツロイ

アイウエオ カキクケコ サシスセソ

タチツテト ナニヌネノ ハヒフヘホ

ABCDEFGHIJKLMNOPQRSTUVWXYZ

1234567890

Free Font .260

coopchick

1Byte Font

作者 rain-road (rina)
URL http://rain-road.com/

WinTT MacTT OpenType MacPS 商用利用 要事前連絡

キセツノ ウ ツロイ

アイウエオ カキクケコ サシスセソ

タチツテト ナニヌネノ ハヒフヘホ

マミムメモ ヤ ユ ヨ ラリルレロ

ワ ヲ ン

Free Font .261

coopchick bold

1Byte Font

作者 rain-road（rina）　URL http://rain-road.com/

WinTT　MacTT　OpenType　MacPS　商用利用 要事前連絡

キセツノ ウ ツロイ

アイウエオ カキクケコ サシスセソ
タチツテト ナニヌネノ ハヒフヘホ
マミムメモ ヤ ユ ヨ ラリルレロ
ワ ヲ ン

Free Font .262

coopchick edge

1Byte Font

作者 rain-road（rina）　URL http://rain-road.com/

WinTT　MacTT　OpenType　MacPS　商用利用 要事前連絡

キセツノ ウ ツロイ

アイウエオ カキクケコ サシスセソ
タチツテト ナニヌネノ ハヒフヘホ
マミムメモ ヤ ユ ヨ ラリルレロ
ワ ヲ ン

Free Font .263

フナモリ カタカナ

1Byte Font

作者 TINY FACTORY　URL http://www.tinyfactory.org/

WinTT　MacTT　OpenType　MacPS　商用利用 OK（連絡希望）

キセツノウツロイ

アイウエオ カキクケコ サシスセソ
タチツテト ナニヌネノ ハヒフヘホ
マミムメモ ヤ ユ ヨ ラリルレロ
ワ ヲ ン

Free Font .264
カルガモ
1Byte Font
作者 Viewlogic
URL http://viewlogic.jp/
WinTT
MacTT
OpenType
MacPS
商用利用
要事前連絡
キセツノウツロイ
アイウエオ カキクケコ サシスセソ
タチツテト ナニヌネノ ハヒフヘホ
マミムメモ ヤ ユ ヨ ラリルレロ
ワ ヲ ン
Free Font .265
ジャンクションカタカナ
1Byte Font
作者 Viewlogic
URL http://viewlogic.jp/
WinTT
MacTT
OpenType
MacPS
商用利用
要事前連絡
キセツノウツロイ
アイウエオ カキクケコ サシスセソ
タチツテト ナニヌネノ ハヒフヘホ
マミムメモ ヤ ユ ヨ ラリルレロ
ワ ヲ ン
Free Font .266
スクールカタカナ
1Byte Font
作者 Viewlogic
URL http://viewlogic.jp/
WinTT
MacTT
OpenType
MacPS
商用利用
要事前連絡
キセツノウツロイ
アイウエオ カキクケコ サシスセソ
タチツテト ナニヌネノ ハヒフヘホ
マミムメモ ヤ ユ ヨ ラリルレロ
ワ ヲ ン

Free Font .267

ブレッドカタカナ

1Byte Font

作者 Viewlogic　URL http://viewlogic.jp/

WinTT　MacTT　OpenType　MacPS　商用利用 要事前連絡

キセツノウツロイ

アイウエオ　カキクケコ　サシスセソ
タチツテト　ナニヌネノ　ハヒフヘホ
マミムメモ　ヤ　ユ　ヨ　ラリルレロ
ワ　ヲ　ン

Free Font .268

JEModule 10

1Byte Font

作者 WEIGHT LESSNESS GRAPHICS/Tadahara Ohtsuki　URL http://www.h2.dion.ne.jp/~wlg/

WinTT　MacTT　OpenType　MacPS　商用利用 要事前連絡

キセツノウツロイ

アイウエオ　カキクケコ　サシスセソ
タチツテト　ナニヌネノ　ハヒフヘホ
ABCDEFGHIJKLMNOPQRSTUVWXYZ
1234567890

Free Font .269

JEModule 20

1Byte Font

作者 WEIGHT LESSNESS GRAPHICS/Tadahara Ohtsuki　URL http://www.h2.dion.ne.jp/~wlg/

WinTT　MacTT　OpenType　MacPS　商用利用 要事前連絡

キセツノウツロイ

アイウエオ　カキクケコ　サシスセソ
タチツテト　ナニヌネノ　ハヒフヘホ
ABCDEFGHIJKLMNOPQRSTUVWXYZ
1234567890

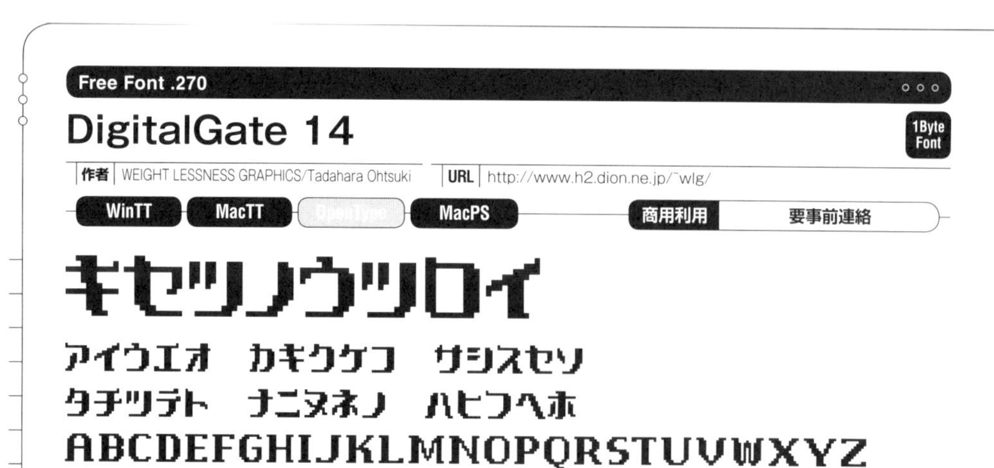

Free Font .270

DigitalGate 14

1Byte Font

作者 WEIGHT LESSNESS GRAPHICS/Tadahara Ohtsuki

URL http://www.h2.dion.ne.jp/~wlg/

WinTT　MacTT　OpenType　MacPS

商用利用　要事前連絡

Free Font .271

Hexagon R

1Byte Font

作者 WEIGHT LESSNESS GRAPHICS/Tadahara Ohtsuki

URL http://www.h2.dion.ne.jp/~wlg/

WinTT　MacTT　OpenType　MacPS

商用利用　要事前連絡

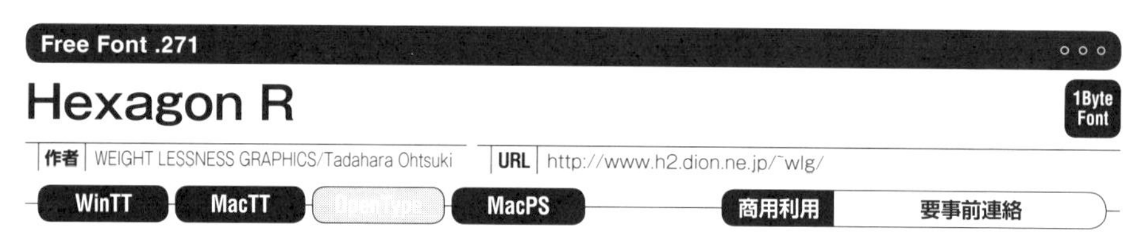

Free Font .272

オヒゲ

2Byte Font

作者 きゃきらん

URL http://bakafonts.kyakirun.com

WinTT　MacTT　OpenType　MacPS

商用利用　OK

Free Font .273

ボスケテ

2Byte Font

作者 きゃきらん　URL http://bakafonts.kyakirun.com

WinTT　MacTT　OpenType　MacPS　商用利用 OK

キセツノウツロイ

アイウエオ　カキクケコ　サシスセン

タチツテト　ナニヌネノ　ハヒフヘホ

ABCDEFGHIJKLMNOPQRSTUVWXYZ

1234567890

Free Font .274

Chain Reaction

2Byte Font

作者 きゃきらん　URL http://bakafonts.kyakirun.com

WinTT　MacTT　OpenType　MacPS　商用利用 OK

キセツノウツロイ

アイウエオ　カキクケコ　サシスセン

タチツテト　ナニヌネノ　ハヒフヘホ

マミムメモ　ヤ ユ ヨ　ラリルレロ

ワ ヲ ン

Free Font .275

ヒュンヒュン

2Byte Font

作者 きゃきらん　URL http://bakafonts.kyakirun.com

WinTT　MacTT　OpenType　MacPS　商用利用 OK

キセツノウツロイ

アイウエオ　カキクケコ　サシスセン

タチツテト　ナニヌネノ　ハヒフヘホ

ABCDEFGHIJKLMNOPQRSTUVWXYZ

1234567890

Free Font .276
カクダロン B
2Byte Font
作者 きゃきらん
URL http://bakafonts.kyakirun.com
WinTT
OpenType
商用利用 OK
キセツノウツロイ
アイウエオ カキクケコ サシスセソ
タチツテト ナニヌネノ ハヒフヘホ
ABCDEFGHIJKLMNOPQRSTUVWXYZ
1234567890
Free Font .277
+プラス
2Byte Font
作者 きゃきらん
URL http://bakafonts.kyakirun.com
WinTT
OpenType
商用利用 OK
キセツノウツロイ
アイウエオ カキクケコ サシスセソ
タチツテト ナニヌネノ ハヒフヘホ
ABCDEFGHIJKLMNOPQRSTUVWXYZ
1234567890
Free Font .278
テクノストレス カタカナ
1Byte Font
作者 きゃきらん
URL http://bakafonts.kyakirun.com
WinTT
商用利用 OK
キセツノウツロイ
アイウエオ カキクケコ サシスセソ
タチツテト ナニヌネノ ハヒフヘホ
マミムメモ ヤ ユ ヨ ラリルレロ
ワ ヲ ン

Free Font .279

トウキョウハニーチャン

2Byte Font

作者 きゃきらん

URL http://bakafonts.kyakirun.com

WinTT / MacTT / OpenType / MacPS

商用利用 OK

キセツノウツロイ

アイウエオ カキクケコ サシスセソ

タチツテト ナニヌネノ ハヒフヘホ

ABCDEFGHIJKLMNOPQRSTUVWXYZ

1234567890

Free Font .280

トッカンコージ

2Byte Font

作者 きゃきらん

URL http://bakafonts.kyakirun.com

WinTT / MacTT / OpenType / MacPS

商用利用 OK

キセツノウツロイ

アイウエオ カキクケコ サシスセソ

タチツテト ナニヌネノ ハヒフヘホ

ABCDEFGHIJKLMNOPQRSTUVWXYZ

1234567890

Free Font .281

トンガル

2Byte Font

作者 きゃきらん

URL http://bakafonts.kyakirun.com

WinTT / MacTT / OpenType / MacPS

商用利用 OK

キセツノウツロイ

アイウエオ カキクケコ サシスセソ

タチツテト ナニヌネノ ハヒフヘホ

ABCDEFGHIJKLMNOPQRSTUVWXYZ

1234567890

Free Font .282

Urban Streets

1Byte Font

作者 ヤマダコウスケ | URL http://www.petitboys.com/

WinTT | MacTT | OpenType | MacPS

商用利用 OK(連絡希望)

キセツノウツロイ

アイウエオ カキクケコ サシスセソ
タチツテト ナニヌネノ ハヒフヘホ
マミムメモ ヤ ユ ヨ ラリルレロ
ワ ヲ ン

Free Font .283

TrueType Colleciton Font No.005

2Byte Font

作者 井上デザイン・井上優 | URL http://idfont.jp/

WinTT | MacTT | OpenType | MacPS

商用利用 OK

キセツノウツロイ

アイウエオ カキクケコ サシスセソ
タチツテト ナニヌネノ ハヒフヘホ
マミムメモ ヤ ユ ヨ ラリルレロ
ワ ヲ ン

Free Font .284

TrueType Colleciton Font No.006

2Byte Font

作者 井上デザイン・井上優 | URL http://idfont.jp/

WinTT | MacTT | OpenType | MacPS

商用利用 OK

キセツノウツロイ

アイウエオ カキクケコ サシスセソ
タチツテト ナニヌネノ ハヒフヘホ
マミムメモ ヤ ユ ヨ ラリルレロ
ワ ヲ ン

Free Font .285
TrueType Colleciton Font No.008
2Byte Font
作者 井上デザイン・井上優
URL http://idfont.jp/
WinTT
MacTT
OpenType
MacPS
商用利用 OK
キセツノウツロイ
アイウエオ カキクケコ サシスセソ
タチツテト ナニヌネノ ハヒフヘホ
マミムメモ ヤ ユ ヨ ラリルレロ
ワ ヲ ン
Free Font .286
TrueType Colleciton Font No.009
2Byte Font
作者 井上デザイン・井上優
URL http://idfont.jp/
WinTT
MacTT
OpenType
MacPS
商用利用 OK
キセツノウツロイ
アイウエオ カキクケコ サシスセソ
タチツテト ナニヌネノ ハヒフヘホ
マミムメモ ヤ ユ ヨ ラリルレロ
ワ ヲ ン
Free Font .287
TrueType Colleciton Font No.012
2Byte Font
作者 井上デザイン・井上優
URL http://idfont.jp/
WinTT
MacTT
OpenType
MacPS
商用利用 OK
キセツノウツロイ
アイウエオ カキクケコ サシスセソ
タチツテト ナニヌネノ ハヒフヘホ
マミムメモ ヤ ユ ヨ ラリルレロ
ワ ヲ ン

Free Font .288

TrueType Colleciton Font No.017

2Byte Font

作者 井上デザイン・井上優　URL http://idfont.jp/

WinTT　MacTT　OpenType　MacPS　商用利用 OK

キセツノウツロイ

アイウエオ　カキクケコ　サシスセソ
タチツテト　ナニヌネノ　ハヒフヘホ
マミムメモ　ヤ　ユ　ヨ　ラリルレロ
ワ　ヲ　ン

Free Font .289

TrueType Colleciton Font No.018

2Byte Font

作者 井上デザイン・井上優　URL http://idfont.jp/

WinTT　MacTT　OpenType　MacPS　商用利用 OK

キセツノウツロイ

アイウエオ　カキクケコ　サシスセソ
タチツテト　ナニヌネノ　ハヒフヘホ
マミムメモ　ヤ　ユ　ヨ　ラリルレロ
ワ　ヲ　ン

Free Font .290

TrueType Colleciton Font No.020

2Byte Font

作者 井上デザイン・井上優　URL http://idfont.jp/

WinTT　MacTT　OpenType　MacPS　商用利用 OK

キセツノウツロイ

アイウエオ　カキクケコ　サシスセソ
タチツテト　ナニヌネノ　ハヒフヘホ
マミムメモ　ヤ　ユ　ヨ　ラリルレロ
ワ　ヲ　ン

Free Font .291
TrueType Colleciton Font No.021
2Byte Font
作者 井上デザイン・井上優
URL http://idfont.jp/
WinTT
MacTT
OpenType
MacPS
商用利用 OK
キセツノウツロイ
アイウエオ カキクケコ サシスセソ
タチツテト ナニヌネノ ハヒフヘホ
マミムメモ ヤ ユ ヨ ラリルレロ
ワ ヲ ン
Free Font .292
TrueType Colleciton Font No.022
2Byte Font
作者 井上デザイン・井上優
URL http://idfont.jp/
WinTT
MacTT
OpenType
MacPS
商用利用 OK
キセツノウツロイ
アイウエオ カキクケコ サシスセソ
タチツテト ナニヌネノ ハヒフヘホ
マミムメモ ヤ ユ ヨ ラリルレロ
ワ ヲ ン
Free Font .293
ニクキュウ
2Byte Font
作者 中井良尚
URL http://fontopo.com/
WinTT
MacTT
OpenType
MacPS
商用利用 OK
キセツノウツロイ
アイウエオ カキクケコ サシスセソ
タチツテト ナニヌネノ ハヒフヘホ
マミムメモ ヤ ユ ヨ ラリルレロ
ワ ヲ ン

Free Font .294

オリエンタル

2Byte Font

作者 中井良尚　URL http://fontopo.com/

WinTT　MacTT　OpenType　MacPS　商用利用 OK

Free Font .295

オドリコ

2Byte Font

作者 中井良尚　URL http://typingart.net/

WinTT　MacTT　OpenType　MacPS　商用利用 OK

Free Font .296

プラネタリウム

2Byte Font

作者 中井良尚　URL http://typingart.net/

WinTT　MacTT　OpenType　MacPS　商用利用 OK

Free Font .297

ガガガガmini

2Byte Font

作者 ヤマナカデザインワークス

URL http://ymnk-design.com

WinTT MacTT **OpenType** MacPS

商用利用 OK

キセツノウヅロイ

アイウエオ カキクケコ サシスセソ

タチツテト ナニヌネノ ハヒフヘホ

マミムメモ ヤ ユ ヨ ラリルレロ

1234567890

Free Font .298

バンバンmini

2Byte Font

作者 ヤマナカデザインワークス

URL http://ymnk-design.com

WinTT MacTT **OpenType** MacPS

商用利用 OK

キセツノウヅロイ

アイウエオ カキクケコ サシスセソ

タチツテト ナニヌネノ ハヒフヘホ

マミムメモ ヤ ユ ヨ ラリルレロ

0123456789

Free Font .299

ミシミシ

2Byte Font

作者 ヤマナカデザインワークス

URL http://ymnk-design.com

WinTT MacTT **OpenType** MacPS

商用利用 OK

キセツノウヅロイ

アイウエオ カキクケコ サシスセソ

タチツテト ナニヌネノ ハヒフヘホ

マミムメモ ヤ ユ ヨ ラリルレロ

ワ ヲ ン

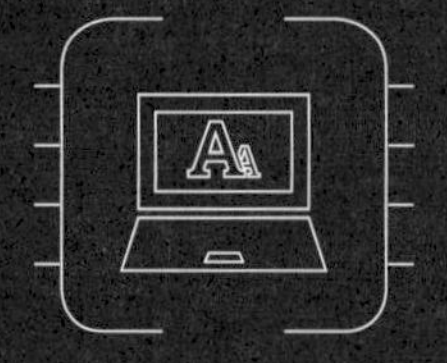

How to use

フォントの基礎から使い方までをチェック

フリーフォントの使い方

フリーフォントのインストール手順から、利用時に知っておくと
便利な基礎知識まで詳しく紹介。多数のフリーフォントを一時的に利用するのに
便利なフリーソフトもあるので、フォントをインストール前に目を通しておこう。

フォントをインストールしてみよう

Windowsにフリーフォントをインストールするのは、とても簡単に行うことができる。基本的に、フォントファイルを右クリックして表示されるメニューから、「インストール」を選択するだけでOKだ。OpenTypeフォント（OTF）やTrueTypeフォント（TTF）は、以上の方法で問題ないが、実行ファイル形式（exe）は、インストール方法が場合によって異なる。また、Mac OSにフォントをインストールする場合も、OSによって異なるので注意しよう。

フォントのインストール（OTF/TTFファイル）

本誌DVD-ROMの「フリーフォント(001-299)」を開いて、「WinTTF」または「Open」フォルダにある、TTF（TrueType）またはOTF（OpenType）形式のフォントをHDDにコピーして選択しよう。ZIP形式などの圧縮形式の場合は、本誌DVD-ROM同梱の解凍ツールなどで解凍しておくこと。解凍後、フォントファイルを右クリックしてインストールを開始しよう。

1 フォントフォルダを開く

OTF/TTF形式のフォントが入ったフォルダを開く。ZIPなど圧縮ファイルで保存されているものは、本誌DVD-ROM同梱の解凍ツールなどで解凍しておく。

2 インストールをクリック

フォントファイルを右クリックして、表示されるメニューから「インストール」を選択する。

3 フォントをインストール

「インストール」を選択すると、すぐにフォントのインストールが開始される。

4 フォントが追加される

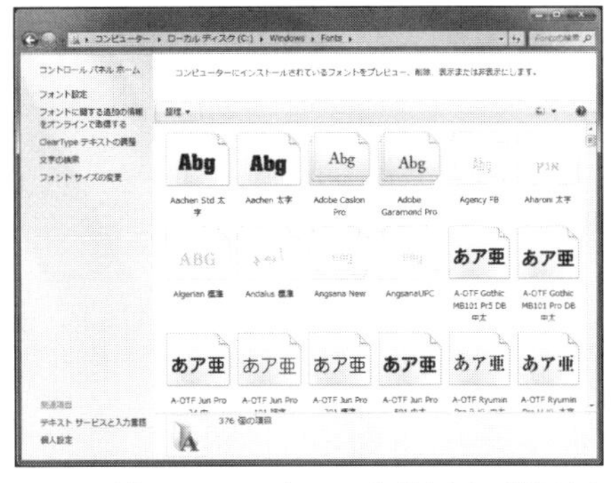

フォントが「\Windows\font」フォルダに追加され、利用できるようになる。フォントが不要になった場合は、このフォルダから削除しよう。

フォントのインストール(exeファイル)

フォント製作者によっては、フリーフォントをexeファイル形式で配布している場合がある。ダブルクリックするだけで、インストールを自動で行うことが可能なので、プログラムが起動したら指示に従おう。ただし、本誌DVD-ROMに含まれるexe形式のフォントファイルは、自動解凍を行うためのexeファイルになっている物もある。以下の手順を参考にインストールしよう。

1 exeファイルをダブルクック

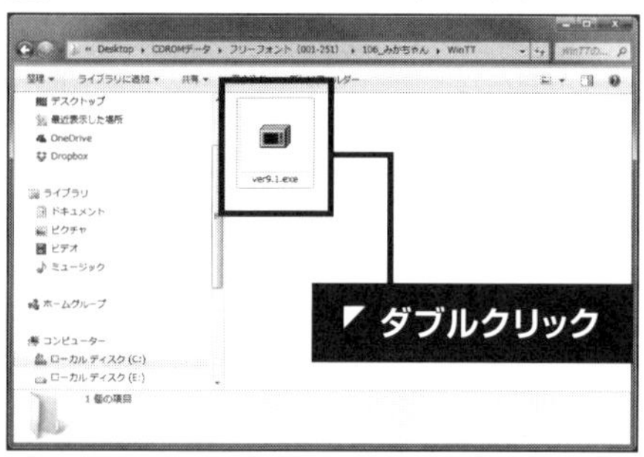

exeファイルをダブルクリックして、実行する。ファイルの解凍が行われるので、解凍先のフォルダを指定。

2 フォントをインストール

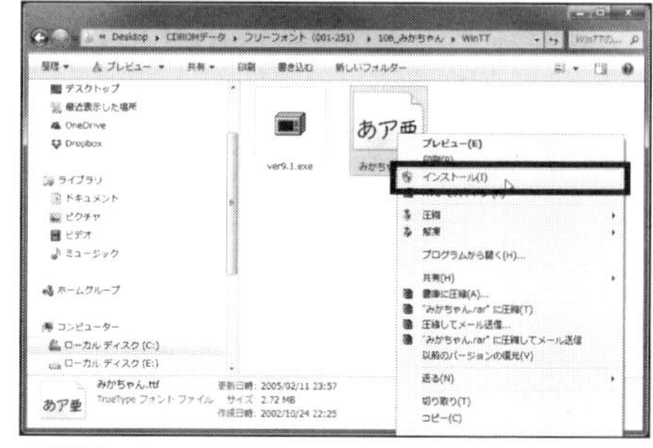

自動解凍によって展開されたファイルを、右クリックして「インストール」を選択。

Mac OS Xでのインストール

本誌DVD-ROM内のMac用フォントのフォルダ（「MacTT」または「MacPS」フォルダ）に含まれる圧縮ファイルを解凍する。その後、アプリケーションから「Font Book」を起動させる。インストールしたいフォントを選択して「開く」をクリックしよう。

TrueType、OpenTypeフォントはWindowsとMac OS X間で互換性を持つため、Windows用TrueType（「WinTT」フォルダ内のフォント)、またはOpenTypeフォント（「Open」フォルダ内のフォント)でも利用できる場合がある。ただし、記号やそれぞれの機種依存文字があるため、互換性があるとはいえフォントの正確な表示を保障するものではない。

Mac OS 8/9でのインストール

Mac OS 8または9の場合は、OS Xと同様に本誌DVD-ROMからMac OS用のフォント（MacTTフォルダ内のファイル）を解凍したら、「システムフォルダ」の下にある「フォント」フォルダにフォントファイルをコピーしよう。「MacPS」フォルダに含まれる、ポストスクリプト形式のフォント（拡張子が「.otf」のフォントを除く）をインストールする場合は、フォントフォルダにフォントスーツケースを同時にコピーするのを忘れないようにしよう。

Mac OS 8/9は、Windows用のTrueTypeおよびOpenTypeフォントには対応していない。そのため、Windows用のフォントを試してみる、といったことは不可能になっている。

フォントの種類について

フォントには、書体や表示形式など多くの分類があり、その性質を理解しておくことでフォントをより便利に利用することができる。配布されているファイル形式、フォントの書体、アウトラインまたはビットマップ形式、2byteフォントか1byteフォントであるかなどは、本誌付属のDVD-ROMを利用する上でも、簡単に把握しておいたほうがいいだろう。利用しているOSによっては、利用できないフォントもあるので注意するようにしよう。

フォントには3つの形式がある

配布されているフリーフォントのファイル形式は、TrueTypeフォント、OpenTypeフォント、PostScriptフォントの3種類に分かれる。拡張子が異なっても、この3種類のいずれかに属していることがほとんどだ。またPostScript形式のフォントは、Mac OS用となっている。インストールにはフォント以外にも必要なファイルがあるので、インストール時は注意しよう。

TrueType

フリーフォントで広く使われている形式。アウトラインフォントで、文字を2次曲線データとして保存している。ドットでフォントを表示するビットマップフォントを埋め込むことも可能。拡張子は「.ttf」または「.ttc」。

OpenType

TrueTypeの後継規格で、WindowsとMac OSで互換性を持つ。拡張子は「.otf」だがPostScriptとTrueTypeそれぞれをベースに作成することができ、TrueTypeをベースとして作られたフォントは拡張子が「.ttf」「.ttc」になる。

PostScript

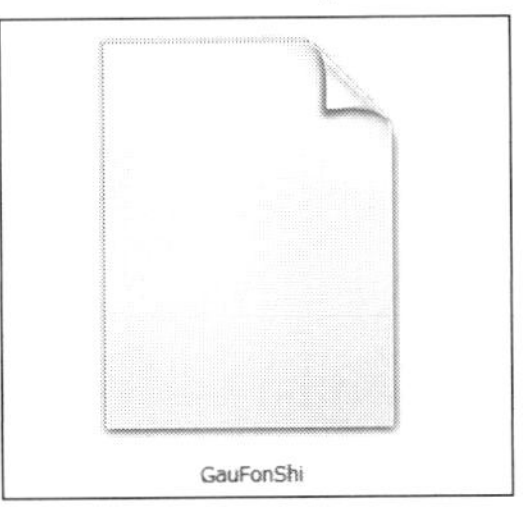

アドビシステムズが開発した、アウトラインフォント規格。文字をベジェ曲線で保存している。Mac OSで普及し、利用されている。インストールする場合には、フォントフォルダへのフォントスーツケースのコピーも忘れずに。

日本語フォントのタイプフェイス

日本語フォントのタイプフェイス（書体）は、多数あるがその中でも明朝体・ゴシック体は非常に有名。明朝体・ゴシック体から派生した書体は、数え切れないほど存在している。また、チラシや広告などで効果的に利用されることの多い毛筆書体や教科書体など、筆記タイプの書体も多数存在している。異なる書体を多用すると、視認性が下がってしまうので注意しよう。

明朝体

古くは木版印刷の時代から、印刷用の書体として発展してきた明朝体。おもに新聞や書籍の本文として利用されることが多い。フリーフォントとしても、明朝体をベースとしたフォントが多数公開されている。

ゴシック体

縦横の太さが均一な書体。見出しや強調部分に使われることが多い。PCでは、視認性の問題から、明朝体よりも多く利用されている。Windowsでは、標準で「MS ゴシック」などいくつかのゴシック体フォントがインストールされている。

筆記体

筆で書かれた文字を書体にした筆記体。行書体や草書体など、多数の筆記体をフリーフォントとして利用することもできる。ただし、異なる筆記体を多用すると文字や文章が読みにくくなってしまうので注意しよう。

フォントのファミリー

ウエイト（太さ）が異なるフォントの集まりを「ファミリー」と呼ぶ。アプリによっては、フォントを選択するメニューとは別のメニューで選択することができる。現在は、ウエイトに応じて「W1/W2/W3……」と表記されることも多い。

EL (W1)

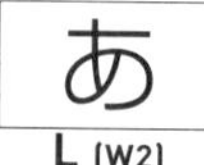
L (W2)

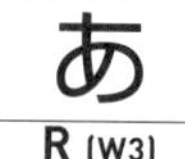
R (W3)

M (W4)

DB (W5)

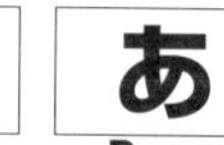
B (W6)

H (W7)

U (W8)

アウトラインフォントとビットマップフォント

フォントの表示方式によって、アウトラインフォントとビットマップフォントにわけることができる。現在では拡大・縮小を行っても、品質が変わらないアウトラインフォントが主流になり、Web上で公開されているフリーフォントや有料フォントは、そのほとんどがアウトラインフォントとなっている。ただしTrueTypeフォントにビットマップフォントを埋め込んだフォントなど、今でも少なからずビットマップフォントは作成されている。

アウトラインフォント

アウトラインフォントは、文字の輪郭を曲線のデータとして保存している。表示するためにはある程度のPCスペックが必要だが、現在の家庭用のPCではまったく問題なく利用できる。現在の主流であるTrueTypeフォント、OpenTypeフォント、PostScriptフォントのいずれもアウトライン形式となっている。

文字をアウトラインで表現

現在主流のアウトラインフォント。輪郭の線をデータとして保存している。

拡大･縮小しても崩れない

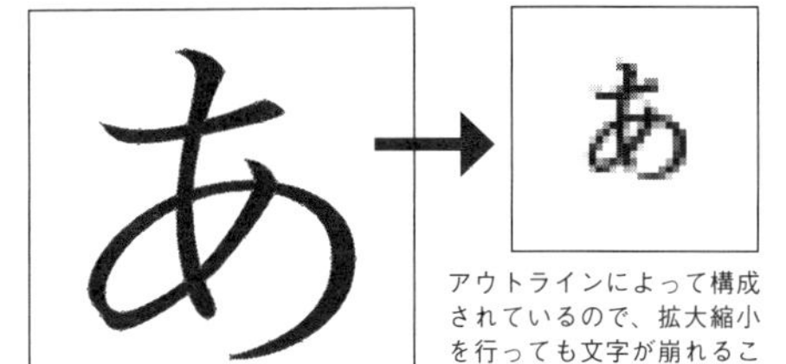

アウトラインによって構成されているので、拡大縮小を行っても文字が崩れることがない。

ビットマップフォント

ドットで文字を表現することで、低容量と表示速度を実現していたビットマップフォント。PCの高スペック化によって、現在では廃れつつある形式だ。しかし、フォント製作者によってはビットマップフォントを埋め込んだTrueTypeフォントを作成し、フォントを配布している場合もある。使いどころさえ間違えなければ、まだまだ有用なフォントだ。

大きさ（pt）	12	14	18	24	32
元の大きさ	ち	ち	ち	ち	ち
3倍に拡大	ち	ち	ち	ち	ち

ドットの集合体であるビットマップフォントでは、（ソフトによって違いがあるものの）拡大・縮小を行うとフォントが崩れやすい。

1byteフォントと2byteフォント

フォントには、256文字以内で構成される1byteフォントと、日本語などの必要な文字が多い言語に対応する2byteフォントがある。1byteフォントは、そのほとんどがアルファベットをはじめとした、欧文専用フォントとなっている。容量が小さいため、OSなど基本システムにも利用されている事が多いが、中にはひらがなを利用できる1byteフォントもある。MS-IMEなどの日本語入力ツールを起動しなくても利用できるが、不便な点も多い。

1byteフォントはいつも通りにキー入力できない

1byteフォントを利用する場合、特に気をつけなければならない点として、文字入力の困難さが挙げられる。キーに表記されたカナ入力で入力する必要があり、ローマ字入力では同じように入力することができない。「あいうえお(aiueo)」を入力した場合、右の図のように表示される文字は大きく異なってしまう。

2byte

あいうえお

1byte

1byteフォントは入力前にキー配列をチェック

1byteフォントは2byteフォントと異なり、入力時のキー配列が分かりにくいので「アクセサリ」から「文字コード」を起動して、入力するための配列を確認しておこう。文字コードでは、ダブルクリックで文字列を入力できる。入力した文字列は、クリップボードにコピーして他のアプリに貼り付けることもできる。Macではアップルメニューの「キー配列」で、使用したいフォントを指定すると配列を確認できる。

1 文字コードを起動

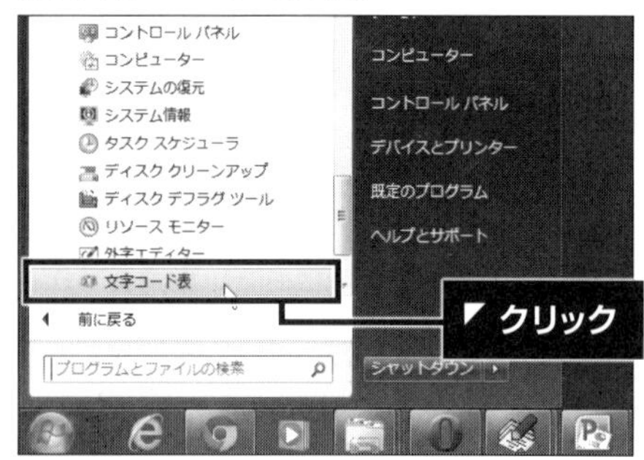

スタートボタンから、アクセサリ→システムツールを開き「文字コード」をクリックして起動する。

2 キー配列を確認

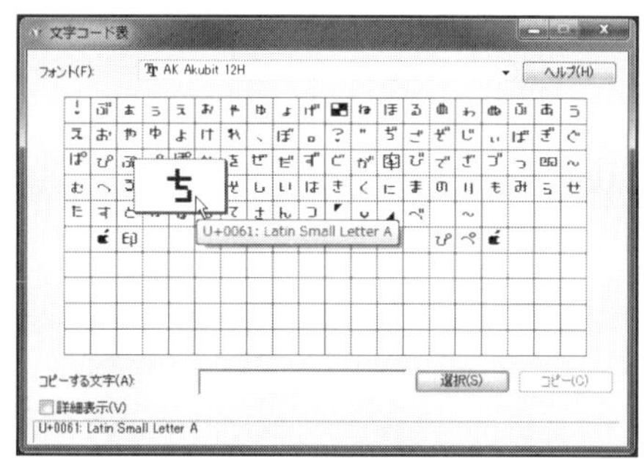

入力したい文字にカーソルを合わせると、対応するキーが表示される。ダブルクリックで入力したテキストを、コピーして他のアプリに貼り付けることも可能。

フォントをたくさん利用するなら管理アプリが便利

Windowsで、大量のフリーフォントを利用するならフォントを手軽にインストール・アンインストール可能なフォント管理アプリを利用しよう。「フォントインストーラー SAKURA」は、TrueType/OpenTypeフォントを一時的にインストールしたり、現在PCにインストールされているフォントの一覧表示が可能。記号フォントの内容と、対応するキーを確認することもできる。またフォントをインストールせずに、任意の文字列の表示をチェックする機能もある。

フォントインストーラーSAKURAをインストールする

フォントインストーラー SAKURAのインストールは、非常に簡単に行うことができる。本誌付属のDVD-ROMから、ZIPファイルを任意のフォルダにコピーして解凍を行うだけで起動する準備は完了。展開したファイルの中にある「sakura2.exe」ファイルをダブルクリックして起動しよう。

フォントインストーラーSAKURA
作者 たむたむ
URL http://tam.vni.jp/

1 ZIPファイルを解凍

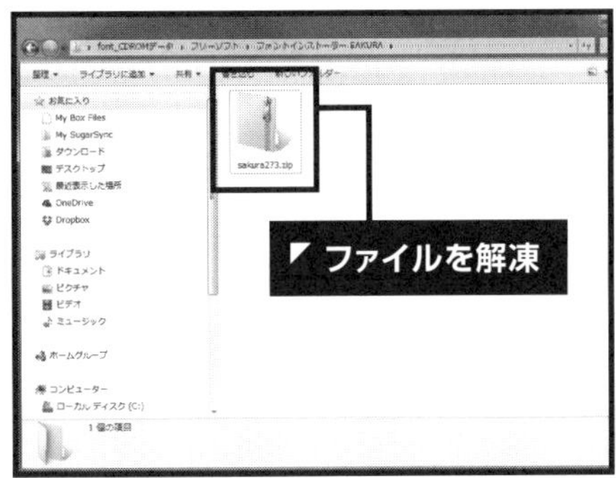

本誌付属のDVD-ROMから、「フリーソフト」→「フォントインストーラー SAKURA」を開き、「SAKURA277.zip」を任意の場所にコピーして解凍する。

2 exeファイルをダブルクリック

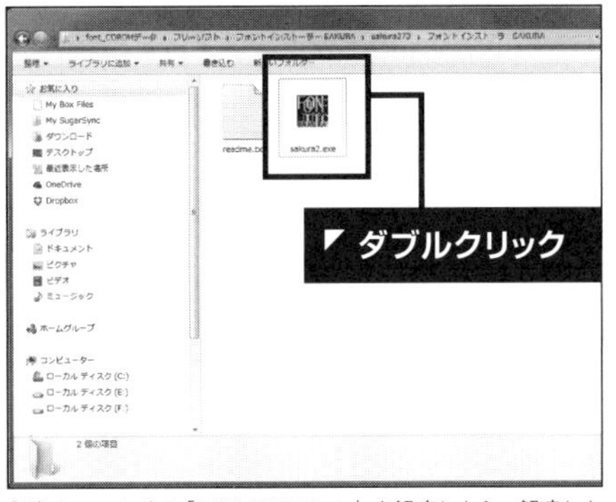

任意のフォルダで「SAKURA277.zip」を解凍したら、解凍したフォルダに含まれる「sakura2.exe」をダブルクリック。

3 SAKURAが起動する

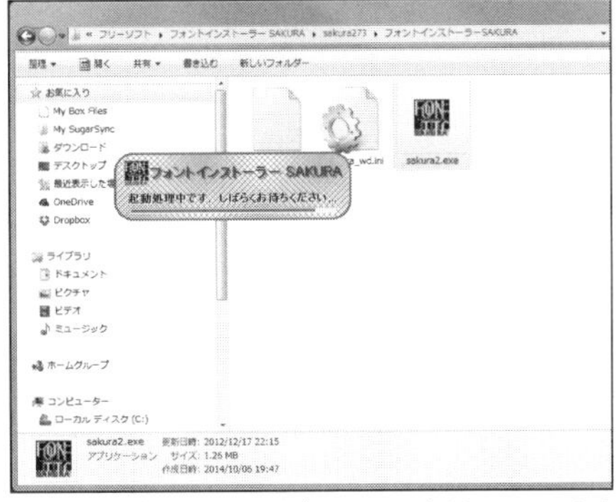

「sakura2.exe」ファイルをダブルクリックすると、フォントインストーラー SAKURAが起動する。

4 管理者として実行

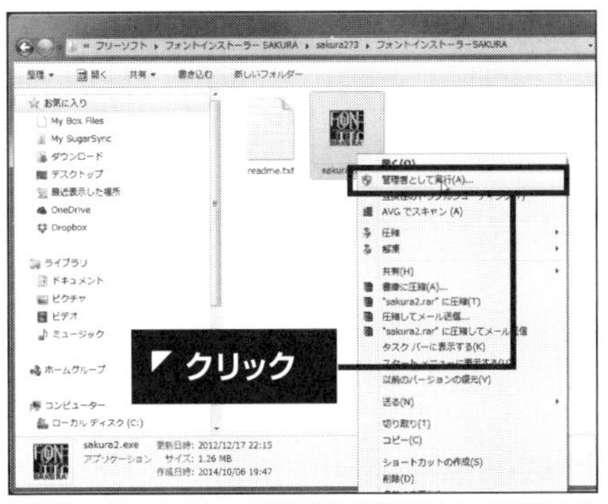

起動後、一時インストール機能以外が利用できない状態の場合は、右クリックメニューの「管理者として実行」から起動しよう。

フォントインストーラーSAKURAのおもな機能

フォントインストーラー SAKURAを起動すると、ツールバー形式のウインドウが表示される。各アイコンをクリックすることで、目的に応じたフォントの管理画面を開くことができる。記号フォントを表示する画面以外に、UNIコードに含まれる記号・文字を確認するユニコードビューワもある。目的の記号が表示できないときにチェックしてみよう。

フォントインストーラーSAKURAの基本画面

フォントインストーラーSAKURAの基本画面からは、以下のようにフォントを管理するための画面を、目的に応じて開くことができる。

1 一時インストールの管理

フォントを一時的にインストールして管理する。一時的にインストールしたいフォントは、この画面から追加・削除が可能。

2 未インストールフォント閲覧/インストール

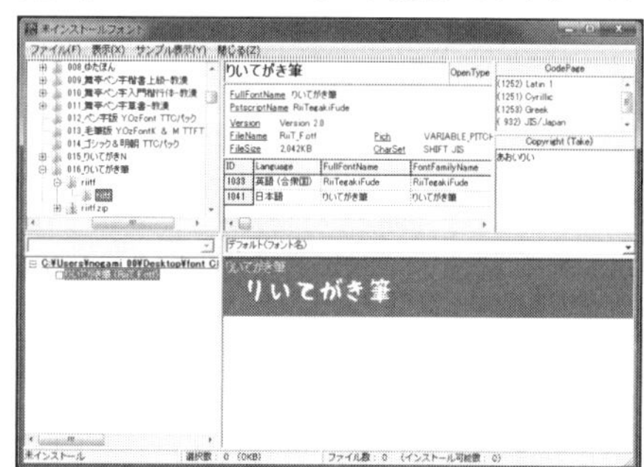

PCにインストールしていないフォントを閲覧したり、「font」フォルダへのインストールを行うことができる。

3 インストール済みフォント閲覧/削除

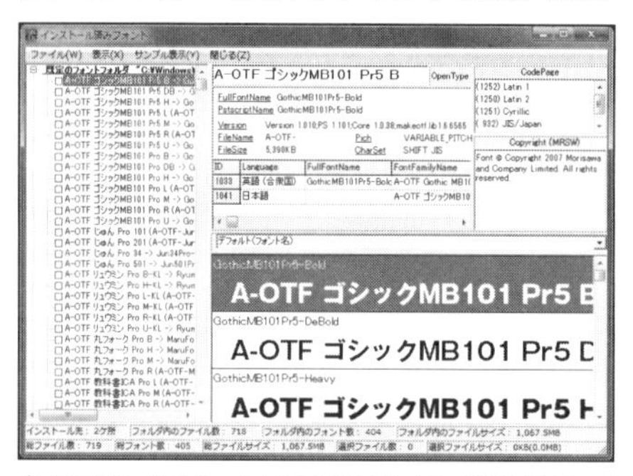

すでにPCにインストールしているフォントを一覧表示する。インストール済みのフォントを削除することもできる。

4 シンボルフォントビューワ

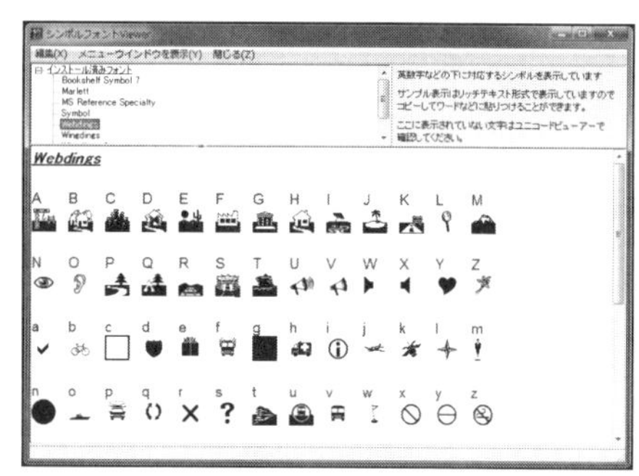

インストールされているフォントの中から記号フォントについて、どのキーでどのシンボルを入力できるのか一覧で確認することができる。

フォントの一時インストールとアンインストール

フォントを大量にインストールしておくと、Windowsの挙動に悪影響を及ぼす場合がある。多数のフォントを利用する場合は、「一時インストールの管理」を利用して、Wordなどのアプリを利用しているときだけ、フォントを使えるようにしよう。より挙動を軽くしたい場合は、「インストール済みフォント閲覧/削除」画面で、不要なフォントを削除しておこう。

1 グループを作成

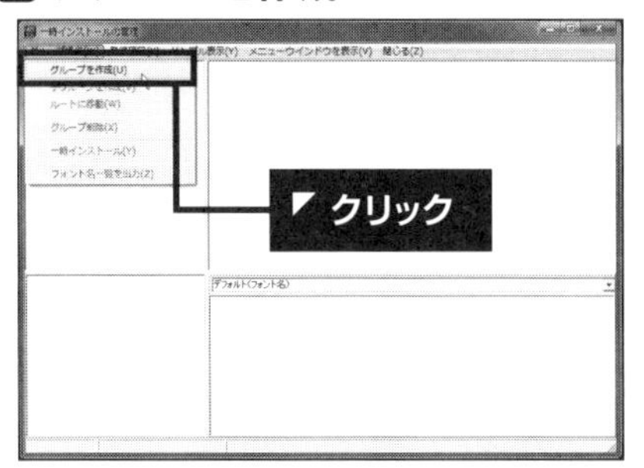

「一時インストールの管理」画面を開いて、「グループ操作」を開いて「グループを作成」をクリックする。

2 登録ファイルを追加

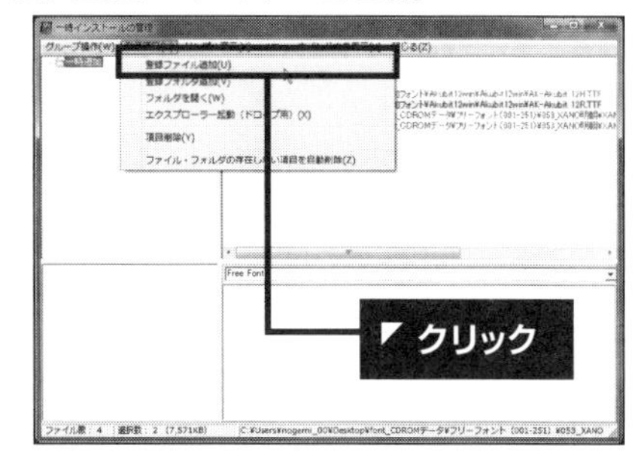

グループを作成したら、グループ名をクリックしてフォントを登録する。「登録項目」から「登録ファイルを追加」または「登録フォルダを追加」をクリック。

3 ファイルを選択

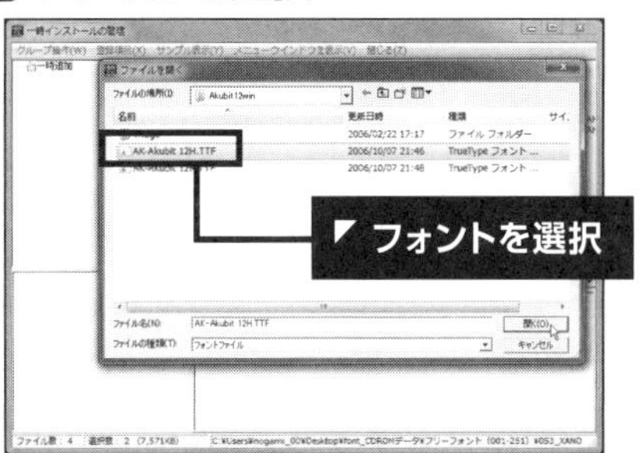

「登録ファイルを追加」を選択した場合は、登録するフォントファイルを選択する。フォルダを登録する場合は、フォントの入ったフォルダを選択しよう。

4 フォントの確認

グループ内のフォントのプレビューに用いる単語を、任意のテキストに変更できる。画面中央の「デフォルト（フォント名）」にテキストを入力しよう。

5 一時インストールを選択

現在のグループに含まれる単語を一時的にインストールする場合は、「グループ操作」→「一時インストール」をクリックする。

6 フォントをアンインストール

一時的にインストールしたフォントグループを、アンインストールする場合は再び「一時インストール」をクリック。フォントやフォルダを右クリックして個別に削除することもできる。

付録DVD-ROM取り扱い説明

本誌で紹介した290を超えるフリーフォントはすべて、本誌付録のDVD-ROMに収録されている。ここでは、DVD-ROMと、収録ファイルの使い方を紹介していこう。

目的のファイルをダウンロード

本誌で紹介しているフリーフォントの保存場所の確認方法は、「特選!! 和文フリーフォント（16〜47ページ）」と「和文フリーフォントカタログ（49〜147ページ）」でやや異なっている。特選フォントはフォント名の上にあるバナーに収録フォルダ名を記載している。フォントカタログではバナーに記載したカタログナンバーがフォルダのナンバーと対応しているので確認してみよう。

1 フォントの収録フォルダを確認

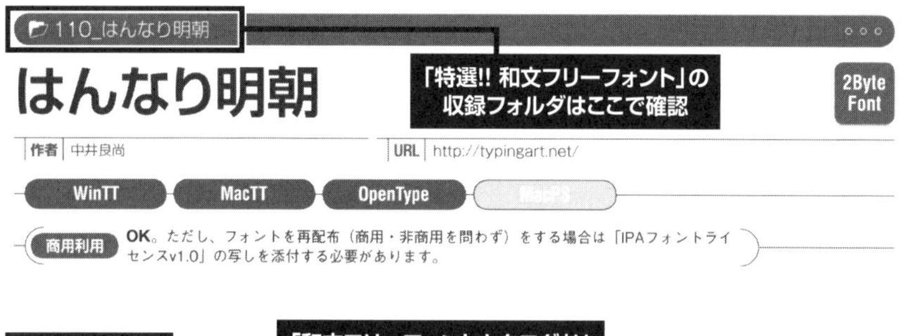

2 使用するフォントの種類を選択

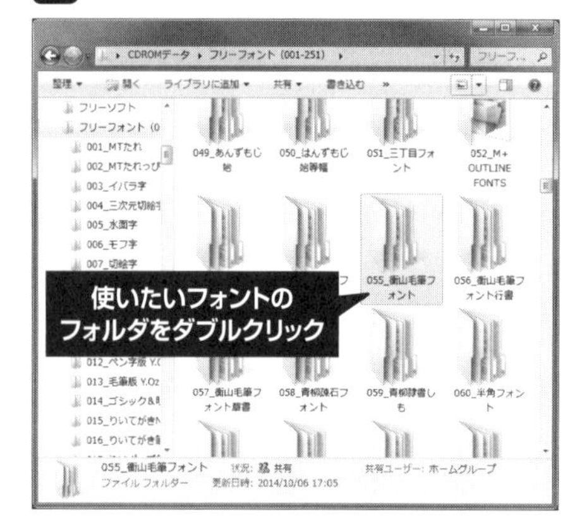

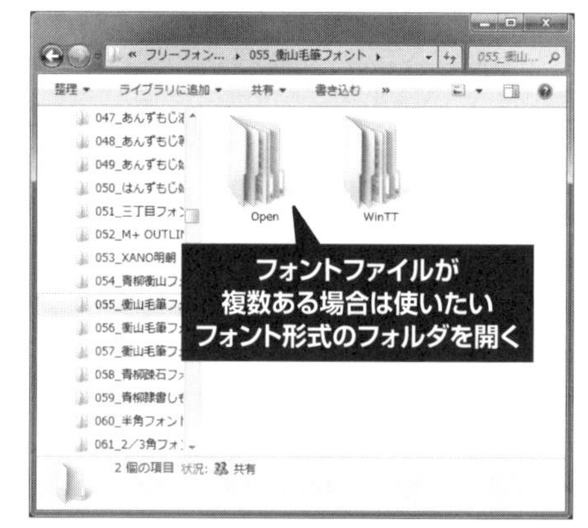

圧縮ファイルの解凍について

付録DVD-ROMに収録されているフォントには、ZIPやLZH、RAR、TARなどの圧縮ファイルにした状態で収録されている物もある。これら圧縮ファイルの解凍には、それぞれの形式に対応した解凍ソフトを使う必要がある。Macintoshであれば標準の「Stuffit Expander」を使えばファイルの解凍ができるが、Windowsの場合はZIPなどの一部圧縮形式以外は解凍ができない。

そこで、Windowsユーザーは付録DVD-ROMに収録されている「CubeICE」を使って圧縮ファイルを解凍しよう。CubeICEは多くの圧縮形式に対応しており、インストールすれば圧縮ファイルを右クリックから簡単に解凍できるようになる。

CubeICE
作者 CubeSoft
URL http://www.cube-soft.jp/cubeice/

1 インストーラを起動

本誌付録DVD-ROMを開き、「フリーソフト」→「CubeICE」フォルダからCubeICEのインストーラ(EXEファイル)をダブルクリックして起動する。

2 使用許諾に同意

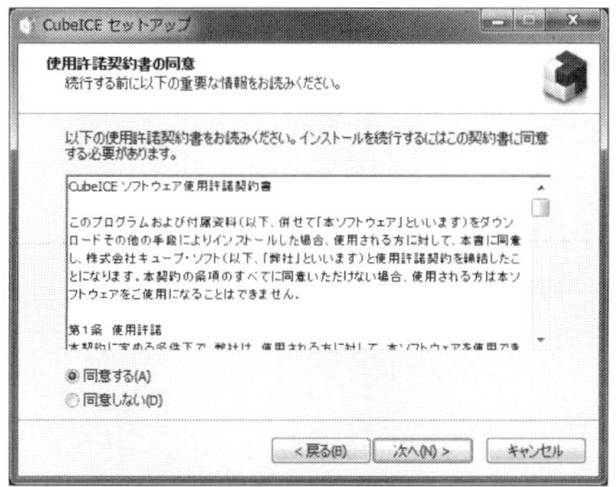

インストーラが起動したら、画面の指示にしたがって作業を進めよう。途中で使用許諾の画面が開いたら、「同意する」を選択。

3 不要なソフトはインストールしない

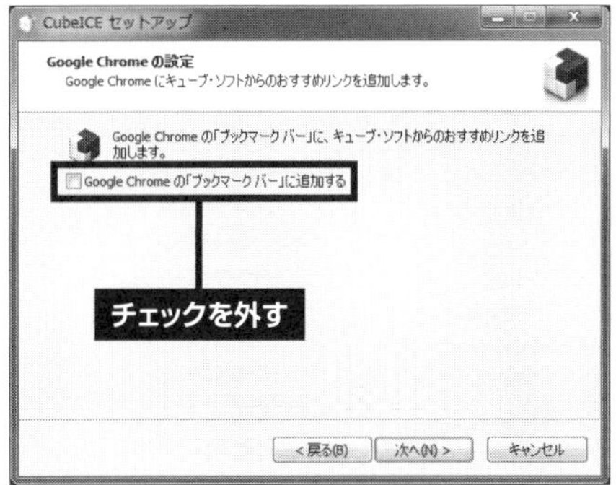

途中でブラウザ用のブックマークバーのインストールを促す画面が表示される。このブックマークバーはファイルの解凍には不要なので、「追加する」のチェックを外して作業を進めよう。

4 右クリックで解凍

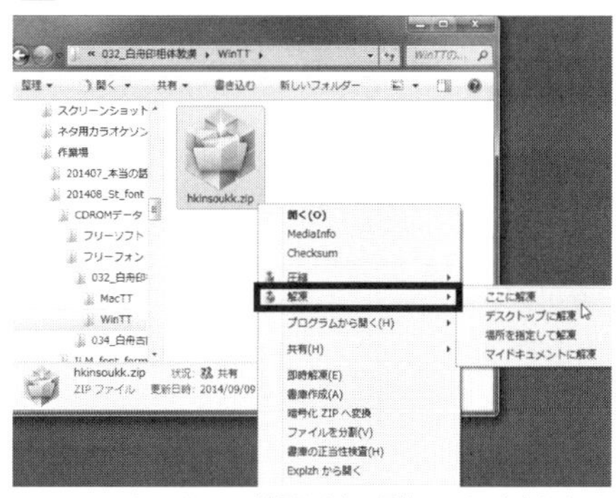

CubeICEのインストールが完了したら、圧縮ファイルを右クリックしてみよう。右クリックメニューにCubeICEのアイコンで「解凍」が追加されている。解凍方法も選択可能だ。

注意 各フォントごとに、収録されている漢字数は異なります。フォントによっては意図した漢字が表示されない場合もありますが、その場合は別のフォントに変更していただくか、フォント作者のアップデートで漢字が追加されるのをお待ちください。

2020年4月30日　第一刷発行

[企画・製作]　*standards*
www.standards.co.jp

[編集・執筆]　野上輝之(GOLDEN AXE)
宮北忠佳(GOLDEN AXE)

[表紙デザイン]　ili design

[本文デザイン]　ili design · GOLDEN AXE

[本文DTP]　有泉滋人

[編集人]　澤田 大

[発行人]　佐藤孔建

[発売所]　スタンダーズ株式会社
〒160-0008
東京都新宿区四谷三栄町12-4
TEL 03-6380-6132(営業部)
03-6380-6136(FAX)

[印刷所]　三松堂株式会社

[DVD-ROMプレス]　株式会社エムズカンパニー